孔子学院总部/国家汉办
Confucius Institute Headquarters(Hanban)

标准教程
# STANDARD COURSE

# HSK

主编: 姜丽萍　　编者: 李琳、于淼
**LEAD AUTHOR:** Jiang Liping　　**AUTHORS:** Li Lin, Yu Miao

3

练习册 **Workbook**

北京语言大学出版社
BEIJING LANGUAGE AND CULTURE
UNIVERSITY PRESS

# 使用说明

《HSK 标准教程 3（练习册）》与《HSK 标准教程 3》配套使用，目的是与 HSK 考试接轨。全书共 20 课，每课设置听力、阅读、书写、复习四个部分。

1. **听力、阅读**。这两个部分的题型、题目长短、语言风格及格式都与 HSK（三级）考试一致，题目数量根据真题进行比例上的缩减。这样既保证了学习者练习的数量和质量，又可以让学习者在平日学习中接触到真题题型，参加考试时不需要再花额外的时间熟悉题型。每课听力和阅读部分的考查内容包括当课和前几课的主要生词、语言点和旧字新词，并融入新的旧字新词，为学生创造更多理解新词语的机会。教师根据总课时数，既可以带领学习者在课上完成，也可以以作业的形式布置给学习者。完成练习后学习者可通过网络上提供的答案自己检测学习效果。

2. **书写**。这部分训练学习者对汉字的认读、书写及使用能力，包含了真题中的所有题型。每课还增设了"辨认汉字"板块，教师可先带领学习者辨认两个形近字，区分二者的不同，然后复习含有这两个汉字的词语，还可根据实际情况列举出更多的形近字。除此之外，配合教材中的汉字知识，每四课还增设了一个"用汉字组词"的板块，帮助学习者掌握当课所学的汉字。

3. **复习**。这部分将重要课文改写为叙述体，要求学习者用当课所学词语、语言点填空。这部分的练习时间教师可灵活掌握，安排在课下或者课堂上完成都可以，时间也可长可短；既可以作为书写练习，也可以作为口语练习。

4. 练习册附录部分提供 HSK（三级）考试模拟试卷一套，涵盖《HSK 标准教程 3》20课所有的生词及语言点，学习者可通过模拟试题进行考前检测。

以上是对本练习册使用方法的一些说明和建议，教师在教学过程中可以根据实际情况灵活使用本练习册。本练习册是一、二级练习册的延续，在形式和难度上都有所提升，话题也更加丰富，即使是已经学过的话题，再次涉及时也选择更复杂的句型和更丰富的词汇进行输出，让学习者可以尽快获得成就感。学完本书，学习者就可以通过 HSK 相应级别的考试来检测自己的能力水平。希望这本教材可以为初学者步入下一个阶段——四级的学习做良好的铺垫，从听、说、读、写四个方面打下扎实、牢固的基础。

# 目 录 Contents

# 1

Zhōumò nǐ yǒu shénme dǎsuàn

## 周末你有什么打算

**What's your plan for the weekend**

---

## 一、听力　Listening　💿 *01*

### 第一部分　Part I

第 1–5 题：听对话，选择与对话内容一致的图片

Questions 1-5: Choose the right picture for each dialogue you hear.

A

B

C

D

E

F

例如：男：喂，请问张经理在吗？

　　　女：他正在开会，您半个小时以后再打，好吗？　　　D

1.　　　　　　　　　　　　　　　　　　　　　　　F

2.　　　　　　　　　　　　　　　　　　　　　　　A

3.　　　　　　　　　　　　　　　　　　　　　　　E

4.　　　　　　　　　　　　　　　　　　　　　　　B

5.　　　　　　　　　　　　　　　　　　　　　　　C

## 第二部分　Part Ⅱ

第 6-10 题：听句子，判断对错

Questions 6-10: Decide whether the statements are true or false based on the sentences you hear.

例如：为了让自己更健康，他每天都花一个小时去锻炼身体。

　　★ 他希望自己很健康。　　　　　　　　　　　　　　　（　√　）

今天我想早点儿回家。看了看手表，才 5 点。过了一会儿再看表，还是 5 点，我这才发现我的手表不走了。

　　★ 那块儿手表不是他的。　　　　　　　　　　　　　　（　×　）

6.　★ 他不喜欢这个电影。　　　　　　　　　　　　　　　（　√　）

7.　★ 他一点儿也不着急。　　　　　　　　　　　　　　　（　×　）

8.　★ 他考试考得很好。　　　　　　　　　　　　　　　　（　×　）

9.　★ 他还没想好去哪儿旅游。　　　　　　　　　　　　　（　√　）

10.　★ 家里还有很多鸡蛋。　　　　　　　　　　　　　　　（　×　）

## 第三部分　Part Ⅲ

第 11-15 题：听短对话，选择正确答案

Questions 11-15: Listen to the short dialogues and choose the right answers.

例如：男：小王，帮我开一下门，好吗？谢谢！

　　　女：没问题。您去超市了？买了这么多东西。

　　　问：男的想让小王做什么？

　　　　　A　开门 √　　　　B　拿东西　　　　C　去超市买东西

11.　A　送朋友 √　　　　B　送衣服　　　　C　去外边

12.　A　去过一次南方　　B　上个月去了南方　　C　很想去南方 √

13.　A　买东西　　　　　B　搬东西 √　　　　C　找儿子

14.　A　票卖完了　　　　B　没有好看的电影 √　　　C　没带钱

15.　A　他带地图了　　　B　他没带地图　　　C　他知道这是哪儿 √

## 第四部分　Part Ⅳ

第 16-20 题：听长对话，选择正确答案

Questions 16-20: Listen to the dialogues and choose the right answers.

例如：女：晚饭做好了，准备吃饭了。

男：等一会儿，比赛还有三分钟就结束了。

女：快点儿吧，一起吃，菜冷了就不好吃了。

男：你先吃，我马上就看完了。

问：男的在做什么？

　　　　A　洗澡　　　　B　吃饭　　　　C　看电视 √

16.　A　公司南边　　　B　医院北边 √　　C　医院北门

17.　A　谢谢　　　　　B　漂亮　　　　　C　还没有名字 √

18.　A　没去过那个饭馆 √　B　晚上没有时间　C　要请男的吃饭

19.　A　考得不好　　　B　没带手表　　　C　还没复习 √

20.　A　爱买书 √　　　B　爱看书　　　　C　读了一本书

# 二、阅读 Reading

## 第一部分 Part Ⅰ

第 21-25 题：选择合适的问答

Questions 21-25: Match the two parts of the same dialogue.

A  不是，我一直在这家医院工作。

B  对不起，周老师现在不在。

C  今天学校里一个人都没有，大家都去哪儿了？

D  周末有时间吗？我打算请你吃个饭。

E  当然。我们先坐公共汽车，然后换地铁。

F  可能是工作太累，生病了。

例如：你知道怎么去那儿吗？　　　　　　　　　（　E　）

21.　你怎么了？今天一点儿东西都没吃。　　　　（　F　）

22.　今天是周末，你去学校做什么？　　　　　　（　C　）

23.　好啊，哪天？　　　　　　　　　　　　　　（　D　）

24.　你是新来的医生吗？　　　　　　　　　　　（　A　）

25.　那我明天再来吧，谢谢。　　　　　　　　　（　B　）

## 第二部分 Part Ⅱ

第 26-30 题：选择合适的词语填空

Questions 26-30: Choose the proper words to fill in the brackets.

A 一直　　B 周末　　C 带　　D 搬　　E 声音　　F 面包

例如：她说话的（　E　）多好听啊！

26.　这几年我（　一直　）忙工作，没时间去旅游。

27.　你（　搬　）家的时候，我来帮你吧。

28.　这个（　面包　）很不错，是你买的吗？

29.　A：这件新衣服是什么时候买的？

　　　B：上（　周末　），我妹妹跟我一起去买的。

30.　A：现在北方很冷，多（　带　）几件衣服吧。

　　　B：我已经准备好了。

## 第三部分　Part Ⅲ

第 31–35 题：选择正确答案
Questions 31-35: Choose the right answers.

例如：您是来参加今天会议的吗？您来早了一点儿，现在才八点半。您先进来坐吧。

　　★ 会议最可能几点开始？

　　A　8 点　　　　　　　B　8 点半　　　　　　　C　9 点 √

31. 妈妈是个北方人，20 岁的时候跟爸爸一起搬到南方住，一直住到今天。南方话她现在能听懂一点儿，但是一点儿也不会说。

　　★ 妈妈：

　　A　不是南方人　　　　B　会说南方话　　　　C　今天搬到南方

32. 我们小时候，下了课都在外边玩儿游戏，那时候的游戏是运动。现在的孩子也玩儿游戏，他们在家里，坐在电脑桌前，玩儿的是电脑游戏。

　　★ 现在的孩子们喜欢：

　　A　运动　　　　　　　B　玩儿电脑游戏　　　　C　在外边玩儿游戏

33. 中国人说：做事的时候别着急，要多想想，想好了再做。

　　★ 中国人觉得做事不能：

　　A　着急　　　　　　　B　想好　　　　　　　C　多想

34. 我爱旅游，喜欢走南走北。第一次去旅游，我买最便宜的火车票，因为那时候没有那么多钱。现在，我可以开车去想去的地方，车上有电子地图，能告诉我怎么走。

　　★ 我现在：

　　A　没有那么多钱　　　B　喜欢坐火车　　　　C　可以开车旅游

35. 南方我去过很多次，但是妻子一次也没去过。我说过很多次"明年带你去"，但是因为工作忙，一直到现在也没带她去，我觉得很对不起妻子。

　　★ 妻子：

　　A　工作很忙　　　　　B　没去过南方　　　　C　觉得很对不起

# 三、书写 Writing

## 第一部分 Part I

第 36-40 题：连词成句

Questions 36-40: Rearrange the words/phrases to make sentences.

例如：小船　　上　　一　　河　　条　　有

河上有一条小船。

36. 面包　　一个　　商店里　　没有　　也

*商店里一个面包也没有*

37. 想　　好　　吃什么　　还没　　我

*我还没想好吃什么*

38. 没下　　雪　　一点儿　　都　　今年

*今年一点儿都没下雪*

39. 也　　咖啡　　一杯　　没喝　　今天下午　　我

*我今天下午一杯咖啡也没喝*

40. 好　　水果　　吗　　洗　　你　　了

*你洗好了水果吗*

## 第二部分 Part II

第 41-45 题：看拼音，写汉字

Questions 41-45: Write the characters based on their *pinyin*.

例如：没（ 关 guān ）系，别难过，高兴点儿。

41. 下午我一（ 直 zhí ）在房间里看书。

42. 我家在学校的（ 北 běi ）边。

43. 周（ 末 mò ）我请你去跳舞，怎么样？

44. 我想（ 跟 gēn ）你们一起去打篮球，可以吗？

45. 我们明天就要（ 搬 bān ）家了。

## 第三部分　Part Ⅲ

第 46–50 题：辨认汉字，选择正确的汉字填空

Questions 46-50: Distinguish the characters and fill in the blanks.

例如：我不知道　那　个地方在　哪　儿。（那、哪）

46. 小丽说她要　跟　我一起去外地旅游，我　很　高兴。（很、跟）

47. 这个　周　末，我们几个　同　学要去老师家。（同、周）

48. 那个商店的东西非　常　便宜，明天我　带　你去看看。（常、带）

49. 这个星期我一　直　忙，　真　累啊！（真、直）

50. 　昨　天的　作　业一点儿也不多。（昨、作）

## 第四部分　Part Ⅳ

第 51–54 题：用下边的汉字组词

Questions 51-54: Make words using the following characters.

例如：找　找人　、　找到

51. 上　上午　、　上个月

52. 下　下午　、　下个月

53. 本　一本书　、　本子

54. 末　周末　、　月末

# 四、复习　Review

第 1–2 题：根据课文内容填空

Questions 1-2: Fill in the blanks based on the texts in the textbook.

1. 小刚周末＿＿＿＿请小丽吃饭、看电影、喝咖啡。他已经＿＿＿＿饭馆，＿＿＿＿电影票了。但是小丽还没＿＿＿＿要不要＿＿＿＿他去。

2. 明天有考试，但是儿子一直玩儿＿＿＿＿，＿＿＿＿也不＿＿＿＿，因为他都＿＿＿＿好了，＿＿＿＿也都写完了。

# 2

Tā shénme shíhou huílai

# 他什么时候回来

**When will he come back**

---

## 一、听力　Listening  *02*

### 第一部分　Part I

第1-5题：听对话，选择与对话内容一致的图片

Questions 1-5: Choose the right picture for each dialogue you hear.

A

B

C

D

E

F

例如：男：喂，请问张经理在吗？

女：他正在开会，您半个小时以后再打，好吗？　　D

1.　 F

2.　 B

3.　 E

4.　 C

5.　 A

## 第二部分　Part II

第 6-10 题：听句子，判断对错

Questions 6-10: Decide whether the statements are true or false based on the sentences you hear.

例如：为了让自己更健康，他每天都花一个小时去锻炼身体。

　　★ 他希望自己很健康。　　　　　　　　　　　（ √ ）

今天我想早点儿回家。看了看手表，才5点。过了一会儿再看表，还是5点，我这才发现我的手表不走了。

　　★ 那块儿手表不是他的。　　　　　　　　　　（ × ）

6.　★ 乐乐现在不在外边。　　　　　　　　　　　（ √ ）
7.　★ 王经理在楼下。　　　　　　　　　　　　　（ × ）
8.　★ 他已经到楼上了。　　　　　　　　　　　　（ × ）
9.　★ 他们现在在外边。　　　　　　　　　　　　（ √ ）
10.　★ 同学们现在在树下。　　　　　　　　　　　（ × ）

## 第三部分　Part III

第 11-15 题：听短对话，选择正确答案

Questions 11-15: Listen to the short dialogues and choose the right answers.

例如：男：小王，帮我开一下门，好吗？谢谢！
　　　女：没问题。您去超市了？买了这么多东西。
　　　问：男的想让小王做什么？

　　　A　开门 √　　　　　B　拿东西　　　　　C　去超市买东西

11.　A　做饭　　　　　B　吃饭 √　　　　　C　打电话
12.　A　公司 √　　　　B　医院　　　　　C　学校
13.　A　老师和学生　　B　丈夫和妻子 √　　C　经理和秘书
14.　A　喜欢看书　　　B　考得很好　　　C　喜欢玩儿电脑游戏 √
15.　A　运动一下 √　　B　去办事　　　　C　穿衣服

## 第四部分　Part IV

第 16-20 题：听长对话，选择正确答案
Questions 16-20: Listen to the dialogues and choose the right answers.

例如：女：晚饭做好了，准备吃饭了。

男：等一会儿，比赛还有三分钟就结束了。

女：快点儿吧，一起吃，菜冷了就不好吃了。

男：你先吃，我马上就看完了。

问：男的在做什么？

|  | A　洗澡 | B　吃饭 | C　看电视 √ |
|---|---|---|---|

16.　A　楼下 √　　　　B　楼上　　　　　C　办公室

17.　A　他去拿东西 √　B　他没带手机 √　C　他要去办公楼打电话

18.　A　已经到了　　　B　走北边的路 √　C　走得很快

19.　A　在楼上 √　　　B　在楼下　　　　C　不知道在哪儿

20.　A　还没回家　　　B　不着急　　　　C　很着急 √

## 二、阅读　Reading

### 第一部分　Part Ⅰ

第 21-25 题：选择合适的问答

Questions 21-25: Match the two parts of the same dialogue.

A　今天的题一点儿也不难。

B　我的头怎么这么疼？

C　喂，我到你家楼下了。

D　那喝了这杯牛奶就睡觉吧。

E　当然。我们先坐公共汽车，然后换地铁。

F　请问，周明在吗？

例如：你知道怎么去那儿吗？　　　　　　　　　（　E　）

21.　你每天进了办公室就坐在电脑前，身体能好吗？　（　B　）

22.　妈，我今天太累了，不想看书了。　　　　　　（　D　）

23.　他现在出去了，十点回来。　　　　　　　　　（　F　）

24.　好，你等我一下，我现在就下去。　　　　　　（　C　）

25.　因为你准备得好，所以觉得很容易。　　　　　（　A　）

### 第二部分　Part Ⅱ

第 26-30 题：选择合适的词语填空

Questions 26-30: Choose the proper words to fill in the brackets.

　　　　　A 难　　　B 办公室　　　C 楼　　　D 辆　　　E 声音　　　F 拿

例如：她说话的（　E　）多好听啊！

26.　小方，周经理请你去他（办公室）一下。

27.　（楼）下那个穿着白衣服的男人是谁？

28.　今天的考试一点儿也不（难）。

29.　A：快上课了，你怎么往回走？

　　　B：我没带书，回去（拿）。

30.　A：这么多好看的车，我们买哪（辆）？

　　　B：买红的吧，我最喜欢红色。

## 第三部分　Part Ⅲ

第 31–35 题：选择正确答案

Questions 31-35: Choose the right answers.

例如：您是来参加今天会议的吗？您来早了一点儿，现在才八点半。您先进来坐吧。

　　　★ 会议最可能几点开始？

　　　A　8点　　　　　　　B　8点半　　　　　　C　9点 ✓

31. 现在的孩子真不容易。从周一到周五每天都要上课，下了课还要做作业。周末也不能休息，起了床就出去学这学那，能不累吗？

　　　★ 现在的孩子：

　　　A　一点儿也不累　　　B　每天都很忙　　　C　周末起床很晚

32. 很多人都喜欢睡午觉。但是有些人吃了午饭就睡，这样对身体好吗？医生告诉我们：吃了午饭要休息一下。睡午觉的时间也不能太长，一个小时最好。

　　　★ 睡午觉：

　　　A　对身体不好　　　B　不能吃饭　　　C　时间不能很长

33. 我丈夫每天 5 点多起床，吃了早饭就去上班。我让他多休息、少工作，但是他说："那么多病人都在等我，我能休息吗？"我真希望丈夫别那么累。

　　　★ 我丈夫是做什么工作的？

　　　A　老师　　　　　　B　经理　　　　　　C　医生

34. 今天早上我起晚了，穿了衣服就出来了。钱、电脑、手机都没带，早饭也没吃。小丽告诉我，妻子打来电话，让我到了办公室就给她回电话。

　　　★ 妻子：

　　　A　起晚了　　　　　B　没带手机　　　　C　找我

35. 去年 12 月我带妻子去了一次北方。没想到到了那儿妻子就开始生病，没玩儿好也没吃好，一直病到回来。妻子说，下次不要在那么冷的时候旅游了。

　　　★ 我妻子：

　　　A　还没去过北方　　　B　玩儿得不好　　　C　回来的时候生病了

# 三、书写　Writing

## 第一部分　Part Ⅰ

第36-40题：连词成句

Questions 36-40: Rearrange the words/phrases to make sentences.

例如：小船　　上　　一　　河　　条　　有

　　　　河上有一条小船。＿＿＿＿＿＿＿＿＿＿＿＿

36. 下　　课　　了　　买书　　就　　去
　　　*下了课就去买书*

37. 快　　去　　看看　　下楼　　吧
　　　*下楼快去看看吧*

38. 飞机　　上　　就　　我弟弟　　睡觉　　了
　　　*我弟弟飞机上就睡觉了*

39. 我　　写完　　了　　出去玩儿　　作业　　就
　　　*我写完作业就出去玩儿了*

40. 教室　　请　　进　　来　　快
　　　*请快进来教室*

## 第二部分　Part Ⅱ

第41-45题：看拼音，写汉字

Questions 41-45: Write the characters based on their *pinyin*.

　　　　　　guān
例如：没（　关　）系，别难过，高兴点儿。

41. 这是你的（ bàn把 ）公室吗？

42. 这次考试题都很（ nán难 ），我不会做。

43. 我的房间里有两（ bǎ把 ）椅子。

44. 我觉得说汉语比写汉字（ róng容 ）易。

45. 看，那儿不是有一（ liàng辆 ）出租车吗？我们快过去。

## 第三部分 Part III

第 46–50 题：辨认汉字，选择正确的汉字填空

Questions 46-50: Distinguish the characters and fill in the blanks.

例如：我不知道 ___那___ 个地方在 ___哪___ 儿。（那、哪）

46. 听说下个星期的考试很 _难_，你 _准_ 备好了吗？（准、难）

47. 你知道我今天 _为_ 什么来你的 _办_ 公室吗？（办、为）

48. 其 _实_，我没去 _买_ 东西，我去医院了。（实、买）

49. 帮你买票很 _容_ 易，你别 _客_ 气。（容、客）

50. 我们坐 _公_ 共汽车去吧，怎 _么_ 样？（么、公）

# 四、复习 Review

第 1–2 题：根据课文内容填空

Questions 1-2: Fill in the blanks based on the texts in the textbook.

1. 上山的时候，小丽没觉得很累，但是下山的时候，她 _____ 也疼，_____ 也疼。小刚说，这叫"上山 _____ 下山 _____"。那边树多，小刚和小丽打算 _____ 休息一下。

2. 雨下得很大，小丽没带 _____，她打算出去叫 _____ 出租车。小刚让小丽等一下，他 _____ 去 _____ 了伞就 _____。

Zhuōzi shang fàngzhe hěn duō yǐnliào

# 桌子上放着很多饮料

**There are plenty of drinks on the table**

## 一、听力 Listening  *03*

第一部分　Part I

第1-5题：听对话，选择与对话内容一致的图片

Questions 1-5: Choose the right picture for each dialogue you hear.

A　

B　

C　

D　

E　

F　

例如：男：喂，请问张经理在吗？

　　　女：他正在开会，您半个小时以后再打，好吗？　　D

1. 　　　　　　　　　　　　　　　　　　　　　　B

2. 　　　　　　　　　　　　　　　　　　　　　　E

3. 　　　　　　　　　　　　　　　　　　　　　　C

4. 　　　　　　　　　　　　　　　　　　　　　　F

5. 　　　　　　　　　　　　　　　　　　　　　　A

## 第二部分　Part II

第 6–10 题：听句子，判断对错

Questions 6-10: Decide whether the statements are true or false based on the sentences you hear.

例如：为了让自己更健康，他每天都花一个小时去锻炼身体。

　　★ 他希望自己很健康。　　　　　　　　　　　　（ ✓ ）

今天我想早点儿回家。看了看手表，才 5 点。过了一会儿再看表，还是 5 点，我这才发现我的手表不走了。

　　★ 那块儿手表不是他的。　　　　　　　　　　　（ ✗ ）

6.　★ 他不认识那个女孩儿。　　　　　　　　　　　（ ✗ ）

7.　★ 这条裤子现在便宜得多。　　　　　　　　　　（ ✓ ）

8.　★ 运动时可以听歌。　　　　　　　　　　　　　（ ✗ ）

9.　★ 他不知道鲜奶在哪儿。　　　　　　　　　　　（ ✓ ）

10.　★ 她菜吃得很少。　　　　　　　　　　　　　　（ ✓ ）

## 第三部分　Part III

第 11–15 题：听短对话，选择正确答案

Questions 11-15: Listen to the short dialogues and choose the right answers.

例如：男：小王，帮我开一下门，好吗？谢谢！

　　　女：没问题。您去超市了？买了这么多东西。

　　　问：男的想让小王做什么？

　　　A　开门 ✓　　　　　B　拿东西　　　　　C　去超市买东西

11.　A　脚不舒服 ✓　　　B　想看电视　　　　C　想玩儿游戏

12.　A　不太甜　　　　　B　要睡觉 ✓　　　　C　太冷了

13.　A　买裤子　　　　　B　洗衬衫 ✓　　　　C　拿裤子

14.　A　找他去上课　　　B　不小心打错了 ✓　C　上午有事

15.　A　男的的　　　　　B　女的的　　　　　C　小丽的 ✓

## 第四部分　Part Ⅳ

第 16–20 题：听长对话，选择正确答案

Questions 16-20: Listen to the dialogues and choose the right answers.

例如：女：晚饭做好了，准备吃饭了。

男：等一会儿，比赛还有三分钟就结束了。

女：快点儿吧，一起吃，菜冷了就不好吃了。

男：你先吃，我马上就看完了。

问：男的在做什么？

|  | A　洗澡 | B　吃饭 | C　看电视 √ |
|---|---|---|---|
| 16. | A　衬衫 √ | B　裤子 | C　饮料 |
| 17. | A　有问题问他 | B　找手机 √ | C　她很着急 |
| 18. | A　绿茶 | B　水果 | C　饮料 √ |
| 19. | A　不想去上学 | B　觉得累 √ | C　不舒服 |
| 20. | A　牛肉不新鲜 | B　没有牛肉了 √ | C　要吃米饭 |

# 二、阅读 Reading

## 第一部分 Part I

第21-25题：选择合适的问答

Questions 21-25: Match the two parts of the same dialogue.

A 我今天不舒服，觉得很累。

B 你还认识我吗？我们在中国见过。

C 你喜欢吃红苹果还是绿苹果？

D 妈妈，我下课回来了。

E 当然。我们先坐公共汽车，然后换地铁。

F 上面写着二十元一把。

例如：你知道怎么去那儿吗？ （ E ）

21. 今天你怎么了？一直在睡觉。 （ A ）

22. 啊，对，我记得你，你瘦了。 （ B ）

23. 桌子上放着饮料，你先喝点儿吧。 （ D ）

24. 我喜欢吃红苹果，我觉得红苹果甜。 （ C ）

25. 这种雨伞多少钱一把？ （ F ）

## 第二部分 Part II

第26-30题：选择合适的词语填空

Questions 26-30: Choose the proper words to fill in the brackets.

A 裤子　　B 或者　　C 还是　　D 记得　　E 声音　　F 小心

例如：她说话的（ E ）多好听啊！

26. 老师，我们今天复习第三课（还是）学习第四课？

27. 周末你是不是要带学生去爬山？穿这条（裤子）吧。

28. 这杯饮料很热，喝的时候（小心）点儿。

29. A：你想喝点儿什么茶？

　　B：花茶（或者）绿茶都行。

30. A：经理旁边坐着一个人，你知道是谁吗？

　　B：你不（记得）了？那是小周啊，去年来过。

## 第三部分　Part Ⅲ

第 31–35 题：选择正确答案
Questions 31-35: Choose the right answers.

例如：您是来参加今天会议的吗？您来早了一点儿，现在才八点半。您先进来坐吧。

　　★ 会议最可能几点开始？

　　A　8点　　　　　　B　8点半　　　　　　C　9点 √

31. 这条裤子是去年过生日时我哥送我的，只穿了一次，就没再穿，一直放在这里。

　　★ 这条裤子：

　　A　是绿色的　　　　B　没穿过几次　　　　C　是我买的

32. 多吃新鲜的苹果对身体好，早上和上午是吃苹果最好的时间。

　　★ 我们应该：

　　A　晚上吃苹果　　　B　上午吃苹果　　　C　身体好的时候吃苹果

33. 我先生不爱吃西瓜，你也不爱吃，西瓜那么好吃，又那么甜，为什么你们会不喜欢呢？

　　★ 她：

　　A　爱吃西瓜　　　　B　不喜欢吃甜的　　　C　没买西瓜

34. 我们的办公室里放着很多吃的东西，下午工作累了的时候，大家都会吃点儿。

　　★ 我们下午：

　　A　去买吃的东西　　B　只吃东西不工作　　C　累了就吃点儿东西

35. 周六周日我们事情不多，喜欢和学生们去爬爬山，或者打打篮球，有时候也会在家里看书。

　　★ 我们：

　　A　周末工作很忙　　B　周末喜欢去爬山　　C　每天在家看书

# 三、书写 Writing

## 第一部分 Part I

第 36-40 题：连词成句

Questions 36-40: Rearrange the words/phrases to make sentences.

例如： 小船 上 一 河 条 有

河上有一条小船。

36. 放着 裤子 床上 一条

*床上放着一条裤子*

37. 的时候 要 小心点儿 爬山

*爬山的时侯要小心点儿*

38. 穿了 一件 我记得 白衬衫 他

*我记得他穿了一件白衬衫*

39. 红茶 想喝 绿茶 还是 你

*你想喝红茶还是绿茶*

40. 还是 他想买 裤子 衬衫 我不知道

*我不知道他想买裤子还是衬衫*

## 第二部分 Part II

第 41-45 题：看拼音，写汉字

Questions 41-45: Write the characters based on their *pinyin*.

例如：没（<u>关</u>guān）系，别难过，高兴点儿。

41. 我想喝点儿（饮yǐn）料。

42. 水很热，喝的时候小（心xīn）点儿。

43. 一（条tiáo）裤子三百元。

44. 我觉得胖或（者zhě）瘦没关系。

45. 我不喜欢这个（甜tián）面包。

**第三部分　Part Ⅲ**

第 46–50 题：辨认汉字，选择正确的汉字填空

Questions 46-50: Distinguish the characters and fill in the blanks.

例如：我不知道　那　个地方在　哪　儿。（那、哪）

46. 我打算周末跟学生　出　去，一起爬　山　。（山、出）

47. 你现在真瘦！我记　得　你上学的时候不是　很　瘦啊。（得、很）

48. 你送爸爸衬衫或　者　裤子，他　都　会很喜欢。（者、都）

49. 我今天下午去　朋　友家，他身体不舒　服　。（服、朋）

50. 这是什么　饮　料，我一　次　也没喝过。（饮、次）

# 四、复习　Review

第 1–2 题：根据课文内容填空

Questions 1-2: Fill in the blanks based on the texts in the textbook.

1. 周明不让太太买 _____，因为他 _____ 太太已经有两 _____ 这样的裤子了。周明想买一件 _____，这件衬衫三百二十 _____。

2. 桌子上 _____ 着很多 _____，小刚想喝茶 _____ 咖啡，小丽最喜欢喝茶，花茶、_____ 茶、红茶，她都喜欢，因为工作累了的时候，喝杯茶，她会觉得很 _____。

# 4

Tā zǒngshì xiàozhe gēn kèrén shuō huà

## 她总是笑着跟客人说话

**She always smiles when talking to customers**

---

## 一、听力　Listening　 04

### 第一部分　Part I

第1–5题：听对话，选择与对话内容一致的图片

Questions 1-5: Choose the right picture for each dialogue you hear.

A

B

C

D

E

F

例如：男：喂，请问张经理在吗？

　　　女：他正在开会，您半个小时以后再打，好吗？　　　D

1. ☐

2. ☐

3. ☐

4. ☐

5. ☐

## 第二部分　Part Ⅱ

第 6–10 题：听句子，判断对错

Questions 6-10: Decide whether the statements are true or false based on the sentences you hear.

例如：为了让自己更健康，他每天都花一个小时去锻炼身体。

　　　★ 他希望自己很健康。　　　　　　　　　　　　　（　√　）

　　　今天我想早点儿回家。看了看手表，才 5 点。过了一会儿再看表，还是 5 点，我

　　这才发现我的手表不走了。

　　　★ 那块儿手表不是他的。　　　　　　　　　　　　（　×　）

6.　★ 这几天他吃得很少。　　　　　　　　　　　　　（　　）

7.　★ 他学习很好。　　　　　　　　　　　　　　　　（　　）

8.　★ 他手机里钱不多了。　　　　　　　　　　　　　（　　）

9.　★ 妈妈现在有问题。　　　　　　　　　　　　　　（　　）

10.　★ 他在请人回答问题。　　　　　　　　　　　　　（　　）

## 第三部分　Part Ⅲ

第 11–15 题：听短对话，选择正确答案

Questions 11-15: Listen to the short dialogues and choose the right answers.

例如：男：小王，帮我开一下门，好吗？谢谢！

　　　女：没问题。您去超市了？买了这么多东西。

　　　问：男的想让小王做什么？

　　　　　A　开门√　　　　　　B　拿东西　　　　　　C　去超市买东西

11.　A　认真写作业　　　　B　认真听音乐　　　　C　听着音乐写作业

12.　A　打电话　　　　　　B　去做客　　　　　　C　回家

13.　A　去比赛　　　　　　B　看比赛　　　　　　C　去上课

14.　A　跟爸妈一起出国　　B　要去国外上学　　　C　总是出去走

15.　A　说话很快　　　　　B　都听懂了　　　　　C　不能回答

### 第四部分　Part IV

第 16-20 题：听长对话，选择正确答案
Questions 16-20: Listen to the dialogues and choose the right answers.

例如：女：晚饭做好了，准备吃饭了。

男：等一会儿，比赛还有三分钟就结束了。

女：快点儿吧，一起吃，菜冷了就不好吃了。

男：你先吃，我马上就看完了。

问：男的在做什么？

|  | A 洗澡 | B 吃饭 | C 看电视 √ |

| 16. | A 学习很认真 | B 现在三年级 | C 总是不写作业 |
| 17. | A 现在胖了 | B 正在照相 | C 现在上小学五年级 |
| 18. | A 坐着吃蛋糕 | B 不年轻 | C 很漂亮，也很热情 |
| 19. | A 爬山 | B 问路 | C 放照片 |
| 20. | A 去买菜 | B 看电视 | C 去爬山 |

# 二、阅读　Reading

## 第一部分　Part I

第 21–25 题：选择合适的问答

Questions 21-25: Match the two parts of the same dialogue.

A　你怎么没吃我给你买的蛋糕呢？

B　你怎么到家就坐着看电视，也不帮我做饭？

C　你觉得小丽怎么样？

D　这么晚了，你去哪儿？

E　当然。我们先坐公共汽车，然后换地铁。

F　我昨天没有认真复习。

例如：你知道怎么去那儿吗？　　　　　　　　　　（　E　）

21.　老师的问题你怎么都不回答？　　　　　　　　（　　　）

22.　她又聪明又热情，大家都喜欢她。　　　　　　（　　　）

23.　太甜了，你吃吧。　　　　　　　　　　　　　（　　　）

24.　我又累又饿，你让我休息一下吧。　　　　　　（　　　）

25.　有点儿饿，我去超市买点儿吃的。　　　　　　（　　　）

## 第二部分　Part II

第 26–30 题：选择合适的词语填空

Questions 26-30: Choose the proper words to fill in the brackets.

A 努力　　B 回答　　C 照片　　D 比赛　　E 声音　　F 客人

例如：她说话的（　E　）多好听啊！

26.　今天晚上我晚点儿回来，跟朋友去看足球（　　　）。

27.　弟弟回了家就复习，学习非常（　　　）。

28.　家里来（　　　）了，你回来的时候去超市买点儿水果。

29.　A：这是我们爬山的（　　　），你看看。

　　　B：这个站在你旁边的人是谁？

30.　A：你觉得今天的考试怎么样？

　　　B：很多问题我都不会（　　　）。

## 第三部分　Part Ⅲ

第 31–35 题：选择正确答案
Questions 31-35: Choose the right answers.

例如：您是来参加今天会议的吗？您来早了一点儿，现在才八点半。您先进来坐吧。

★ 会议最可能几点开始？

A　8点　　　　　　B　8点半　　　　　　C　9点 √

31. 这张照片是我姐姐 11 岁那年照的，那时她正在读五年级，照片上的姐姐又黑又瘦。看看现在的姐姐，又高又漂亮，大家都喜欢她。

★ 姐姐：

A　现在又高又漂亮　　B　很喜欢大家　　　　C　现在读五年级

32. 3 月 15 号早上，她正要去上班的时候，看见男朋友拿着鲜花站在门口，她一下想到了，今天是她的生日。

★ 根据这段话，可以知道：

A　她那天不上班　　B　男朋友要送她花　　C　她记得男朋友的生日

33. 客人有问题的时候，她总是热情回答。客人喜欢这样的服务员，经理也喜欢这样的服务员。

★ 根据这段话，可以知道：

A　客人很热情　　　B　大家都喜欢这个服务员　　C　经理喜欢回答问题

34. 王老师有个 20 岁的女儿，现在读大学三年级，又聪明又漂亮，学习也很努力。

★ 王老师的女儿：

A　很年轻　　　　　B　是老师　　　　　　C　喜欢笑

35. 他姓高，但是长得不高，只有一米六。朋友们都说："我们就叫你小高吧！"他笑着回答："可以，大家都这么叫我。"

★ 他：

A　又高又胖　　　　B　姓高，也长得高　　C　喜欢小高这个名字

# 三、书写 Writing

## 第一部分 Part I

第 36–40 题：连词成句

Questions 36-40: Rearrange the words/phrases to make sentences.

例如：小船　　上　　一　　河　　条　　有

河上有一条小船。

36. 女儿　　聪明　　他的　　非常

37. 服务员　　热情　　的　　都很　　这家饭馆

38. 超市　　哪家　　买蛋糕　　你去

39. 站着　　总是　　吃饭　　他

40. 回答　　你去　　一下　　客人的问题

## 第二部分 Part II

第 41–45 题：看拼音，写汉字

Questions 41-45: Write the characters based on their *pinyin*.

例如：没（ guān 关 ）系，别难过，高兴点儿。

41. 小明，快回家吧！你家来（ kè 　　 ）人了。

42. 周老师的儿子今年上小学三年（ jí 　　 ）。

43. 他工作很（ rèn 　　 ）真，经理很喜欢他。

44. 你看，这是我年轻时的照（ piàn 　　 ），漂亮吗？

45. 那个拿着书（ zhàn 　　 ）在门口的就是我们的老师。

## 第三部分　Part Ⅲ

第 46–50 题：辨认汉字，选择正确的汉字填空
Questions 46-50: Distinguish the characters and fill in the blanks.

例如：我不知道＿＿那＿＿个地方在＿＿哪＿＿儿。（那、哪）

46. 今天晚上电视里有＿＿＿＿京和上海的足球＿＿＿＿赛。（北、比）

47. 我有一个中国女＿＿＿＿友，她又聪＿＿＿＿又漂亮。（明、朋）

48. 他考试考得很好，因＿＿＿＿他学习很努＿＿＿＿。（力、为）

49. 你＿＿＿＿了吗？＿＿＿＿去超市给你买点儿蛋糕吧。（饿、我）

50. 老师问了＿＿＿＿个问题，他一个也不会＿＿＿＿答。（回、四）

# 四、复习　Review

第 1–2 题：根据课文内容填空
Questions 1-2: Fill in the blanks based on the texts in the textbook.

1. 小红又聪明又＿＿＿＿＿＿，也很＿＿＿＿＿＿，总是笑着＿＿＿＿＿＿老师的问题，大家都很喜欢她。你看，那些＿＿＿＿＿＿在门口的都是来送她＿＿＿＿＿＿的。

2. 李小美在饭馆里工作，她＿＿＿＿＿＿漂亮又＿＿＿＿＿＿，工作又＿＿＿＿＿＿又热情，她＿＿＿＿＿＿笑着跟＿＿＿＿＿＿说话。

# 5

Wǒ zuìjìn yuè lái yuè pàng le
# 我最近越来越胖了
**I am getting fatter and fatter lately**

## 一、听力　Listening　　💿 05

### 第一部分　Part I

第1–5题：听对话，选择与对话内容一致的图片
Questions 1-5: Choose the right picture for each dialogue you hear.

A

B

C

D

E

F

例如：男：喂，请问张经理在吗？

　　　女：他正在开会，您半个小时以后再打，好吗？　　　D

1. ▢

2. ▢

3. ▢

4. ▢

5. ▢

## 第二部分　Part II

第 6–10 题：听句子，判断对错

Questions 6-10: Decide whether the statements are true or false based on the sentences you hear.

例如：为了让自己更健康，他每天都花一个小时去锻炼身体。

★ 他希望自己很健康。　　　　　　　　　（ √ ）

今天我想早点儿回家。看了看手表，才 5 点。过了一会儿再看表，还是 5 点，我这才发现我的手表不走了。

★ 那块儿手表不是他的。　　　　　　　　（ × ）

6.　★ 这几天的天气不太好。　　　　　　　（　　）

7.　★ 现在他的病好了。　　　　　　　　　（　　）

8.　★ 小方现在比去年瘦。　　　　　　　　（　　）

9.　★ 儿子不想吃饭，所以瘦了。　　　　　（　　）

10.　★ 冬天快到了。　　　　　　　　　　　（　　）

## 第三部分　Part III

第 11–15 题：听短对话，选择正确答案

Questions 11-15: Listen to the short dialogues and choose the right answers.

例如：男：小王，帮我开一下门，好吗？谢谢！

女：没问题。您去超市了？买了这么多东西。

问：男的想让小王做什么？

　　A 开门 √　　　　　B 拿东西　　　　　C 去超市买东西

11.　A 吃药　　　　　　B 多喝水　　　　　C 少吃水果

12.　A 越来越好　　　　B 不发烧了　　　　C 还在生病

13.　A 女的很聪明　　　B 女的很不错　　　C 女的给他介绍的女朋友很好

14.　A 越来越不容易　　B 越来越容易　　　C 越来越没意思

15.　A 越来越好　　　　B 没来上班　　　　C 不用吃药了

## 第四部分　Part Ⅳ

第 16–20 题：听长对话，选择正确答案

Questions 16-20: Listen to the dialogues and choose the right answers.

例如：女：晚饭做好了，准备吃饭了。

　　　男：等一会儿，比赛还有三分钟就结束了。

　　　女：快点儿吧，一起吃，菜冷了就不好吃了。

　　　男：你先吃，我马上就看完了。

　　　问：男的在做什么？

　　　　　A　洗澡　　　　　B　吃饭　　　　　C　看电视 √

16.　　A　天气不那么冷了　　B　草和树都绿了　　C　没有课了

17.　　A　天黑了　　　　　　B　白天没有时间　　C　天黑得晚了

18.　　A　男女朋友　　　　　B　医生和病人　　　C　丈夫和妻子

19.　　A　买花　　　　　　　B　看花　　　　　　C　看雨

20.　　A　瘦了　　　　　　　B　胖了　　　　　　C　吃得少了

# 二、阅读　Reading

## 第一部分　Part I

第 21-25 题：选择合适的问答

Questions 21-25: Match the two parts of the same dialogue.

A　要来客人了，我出去买点儿水果吧。

B　当然是春天。

C　你今天觉得怎么样？还发烧吗？

D　我们快回家去吧。

E　当然。我们先坐公共汽车，然后换地铁。

F　谢谢你照顾我，我的腿越来越好了。

例如：你知道怎么去那儿吗？　　　　　　　　　　（　E　）

21.　天越来越黑，快要下雨了。　　　　　　　　（　　　）

22.　你最喜欢什么季节？　　　　　　　　　　　（　　　）

23.　我吃了药，也喝了很多水，现在不发烧了。　（　　　）

24.　不用去，家里还有一些苹果和西瓜。　　　　（　　　）

25.　别这么客气。　　　　　　　　　　　　　　（　　　）

## 第二部分　Part II

第 26-30 题：选择合适的词语填空

Questions 26-30: Choose the proper words to fill in the brackets.

　　　　A 照顾　　B 当然　　C 最近　　D 裙子　　E 声音　　F 为

例如：她说话的（　E　）多好听啊！

26.　这是我（　　　）你买的蛋糕，你看看，喜欢吗？

27.　下个星期我不在家，你能帮我（　　　）一下我的小狗吗？

28.　这条（　　　）是去年我生日的时候妈妈给我买的。

29.　A：你怎么瘦了？是不是（　　　）工作太忙了？

　　　B：我一点儿也没瘦，很多人都说我胖了。

30.　A：今天晚上你想不想跟我一起去看电影？

　　　B：（　　　）想去，我们什么时候走？

## 第三部分　Part Ⅲ

第 31-35 题：选择正确答案

Questions 31-35: Choose the right answers.

例如：您是来参加今天会议的吗？您来早了一点儿，现在才八点半。您先进来坐吧。

　　★ 会议最可能几点开始？

　　A　8点　　　　　　　B　8点半　　　　　　C　9点 √

31. 北京一年有四个季节，我最喜欢春天。北京的春天是绿色的，因为树绿了，草地也都绿了，天气不那么冷了，花也开了。这么漂亮的季节，你不喜欢吗？

　　★ 北京的春天：

　　A　天气非常冷　　　B　花还没开　　　　　C　树和草都绿了

32. 现在的"小胖子"越来越多了，因为现在的孩子吃得越来越多，越来越不爱运动。吃饭的时候不爱吃菜，只爱吃肉，还喜欢吃甜的，这样当然会越来越胖了。

　　★ "小胖子"们：

　　A　爱吃菜　　　　　B　爱吃肉　　　　　　C　爱运动

33. 中国人一年四季都喜欢喝茶。中国有很多种茶，有红茶，也有绿茶，还有花茶。茶是中国人非常爱喝的饮料。

　　★ 中国人觉得茶：

　　A　是红色的　　　　B　很好喝　　　　　　C　很贵

34. 很多女孩儿晚上不吃饭，只吃水果，白天吃得也很少。她们说这样可以瘦一点儿，可以穿漂亮的裙子。其实，不吃饭对身体不好。晚上可以少吃一点儿，但不能不吃，也不能吃得太晚。

　　★ 根据这段话，可以知道：

　　A　不吃饭对身体不好　　B　晚上可以不吃饭　　　C　白天可以不吃饭

35. 你知道生病的时候怎么吃药吗？有人用茶水吃药，有人用热牛奶吃药。其实，吃药的时候用热水是最好的。药，你吃对了吗？

　　★ 吃药的时候要用：

　　A　热茶水　　　　　B　热牛奶　　　　　　C　热水

# 三、书写 Writing

## 第一部分 Part I

第 36–40 题：连词成句

Questions 36-40: Rearrange the words/phrases to make sentences.

例如：小船　　上　　一　　河　　条　　有

河上有一条小船。

36. 外边的　　绿　　草　　都　　了

37. 好　　现在　　我的病　　了

38. 热　　越来越　　天气　　最近

39. 越来越　　雨　　大　　下得

40. 漂亮　　越来越　　现在　　我妹妹

## 第二部分 Part II

第 41–45 题：看拼音，写汉字

Questions 41-45: Write the characters based on their *pinyin*.

　　　　　　guān
例如：没（ 关 ）系，别难过，高兴点儿。

　　　　　fā
41. 听说你（　　）烧了，我来看看你。

　　　　　　　yòng
42. 今天是周末，不（　　）去公司上班。

　　　　　jì
43. 你觉得哪个（　　）节去南方最好？

　　　　　　　chūn
44. 大家都说北京的（　　）天是最漂亮的。

　　　　　　qún
45. 你说我今天穿裤子还是穿（　　）子？

## 第三部分　Part III

第46–50题：辨认汉字，选择正确的汉字填空

Questions 46-50: Distinguish the characters and fill in the blanks.

例如：我不知道＿＿那＿＿个地方在＿＿哪＿＿儿。（那、哪）

46. 你＿＿＿＿，＿＿＿＿天到了，花都开了。（看、春）

47. 今年＿＿＿＿天，我没去旅游，一直在家里＿＿＿＿习，准备 HSK 考试。（复、夏）

48. 我的朋＿＿＿＿有点儿＿＿＿＿烧，我要去他家照顾他。（发、友）

49. 你穿了那么多衣服，当＿＿＿＿觉得很＿＿＿＿。（热、然）

50. 今天＿＿＿＿上，我看到树下的小＿＿＿＿都绿了。（草、早）

## 第四部分　Part IV

第51–54题：用下边的汉字组词

Questions 51-54: Make words using the following characters.

例如：找＿＿找人＿＿、＿＿找到＿＿

51. 明＿＿＿＿＿＿、＿＿＿＿＿＿

52. 休＿＿＿＿＿＿、＿＿＿＿＿＿

53. 从＿＿＿＿＿＿、＿＿＿＿＿＿

54. 看＿＿＿＿＿＿、＿＿＿＿＿＿

# 四、复习　Review

第1–2题：根据课文内容填空

Questions 1-2: Fill in the blanks based on the texts in the textbook.

1. 小刚最喜欢的＿＿＿＿＿＿是＿＿＿＿＿＿，因为天气不那么冷了，＿＿＿＿＿＿和树都绿了，花也开了。小丽最喜欢＿＿＿＿＿＿，因为可以穿漂亮的＿＿＿＿＿＿。现在小刚也喜欢夏天了。

2. 小丽去年买的裙子，今年＿＿＿＿＿＿了。因为小丽吃得太多，小刚让她＿＿＿＿＿＿。＿＿＿＿＿＿小丽＿＿＿＿胖，是因为她＿＿＿＿＿＿太好吃了。

# 6

Zěnme    tūrán zhǎo bu dào le
## 怎么突然找不到了
Why are they suddenly missing

一、听力　Listening　 06

第一部分　Part I

第1–5题：听对话，选择与对话内容一致的图片

Questions 1-5: Choose the right picture for each dialogue you hear.

A

B

C

D

E

F

例如：男：喂，请问张经理在吗？

女：他正在开会，您半个小时以后再打，好吗？　　　D

1.　　　　　　　　　　　　　　　　　　　　　　　　□

2.　　　　　　　　　　　　　　　　　　　　　　　　□

3.　　　　　　　　　　　　　　　　　　　　　　　　□

4.　　　　　　　　　　　　　　　　　　　　　　　　□

5.　　　　　　　　　　　　　　　　　　　　　　　　□

## 第二部分　Part Ⅱ

第6–10题：听句子，判断对错

Questions 6-10: Decide whether the statements are true or false based on the sentences you hear.

例如：为了让自己更健康，他每天都花一个小时去锻炼身体。

　　★ 他希望自己很健康。　　　　　　　　　　　　（ √ ）

今天我想早点儿回家。看了看手表，才5点。过了一会儿再看表，还是5点，我
这才发现我的手表不走了。

　　★ 那块儿手表不是他的。　　　　　　　　　　　（ × ）

6.　★ 外面下雪了。　　　　　　　　　　　　　　　（　）

7.　★ 这辆车他们不打算上去。　　　　　　　　　　（　）

8.　★ 他正在打电话。　　　　　　　　　　　　　　（　）

9.　★ 他每天都运动。　　　　　　　　　　　　　　（　）

10.　★ 他想知道小丽觉得作业难不难。　　　　　　　（　）

## 第三部分　Part Ⅲ

第11–15题：听短对话，选择正确答案

Questions 11-15: Listen to the short dialogues and choose the right answers.

例如：男：小王，帮我开一下门，好吗？谢谢！

　　　女：没问题。您去超市了？买了这么多东西。

　　　问：男的想让小王做什么？

　　　　　A　开门 √　　　　　B　拿东西　　　　　C　去超市买东西

11.　A　蛋糕不好吃　　　B　没吃饱　　　　　C　蛋糕太多了

12.　A　没听清楚　　　　B　没听明白　　　　C　讲了三次

13.　A　聊天儿　　　　　B　找人　　　　　　C　问旁边办公室的人

14.　A　现在没有车　　　B　要去外地　　　　C　这几天不在家

15.　A　在花园　　　　　B　在饭馆　　　　　C　在宾馆

## 第四部分　Part IV

第 16-20 题：听长对话，选择正确答案

Questions 16-20: Listen to the dialogues and choose the right answers.

例如：女：晚饭做好了，准备吃饭了。

男：等一会儿，比赛还有三分钟就结束了。

女：快点儿吧，一起吃，菜冷了就不好吃了。

男：你先吃，我马上就看完了。

问：男的在做什么？

　　　A　洗澡　　　　　　B　吃饭　　　　　　C　看电视 √

16.　A　在学校工作过　　B　在女的的公司工作过　　C　一直没有工作

17.　A　现在更漂亮　　　B　小时候更漂亮　　C　最爱看照片

18.　A　考得不好　　　　B　睡不着　　　　　C　喜欢看电视

19.　A　去商店买东西了　B　找不到回家的路了　　C　帮孩子的忙了

20.　A　手里的东西多　　B　看不见前边那个人　　C　离周朋很近

# 二、阅读　Reading

## 第一部分　Part I

第 21–25 题：选择合适的问答

Questions 21-25: Match the two parts of the same dialogue.

A　他刚离开学校，没走太远。

B　我的手表和裤子呢？

C　你刚下飞机，休息一下吧。

D　你不是要出去吗？怎么还在这儿？

E　当然。我们先坐公共汽车，然后换地铁。

F　喂，你听得见我说话吗？

例如：你知道怎么去那儿吗？　　　　　　　　（　E　）

21.　不行，刚才公司来电话，让我过去一下。　（　　）

22.　小方呢？不在校园里吗？　　　　　　　　（　　）

23.　雨下得太大，出不去了。　　　　　　　　（　　）

24.　你说什么？我一个字也听不见。　　　　　（　　）

25.　你怎么总是找不到东西？　　　　　　　　（　　）

## 第二部分　Part II

第 26–30 题：选择合适的词语填空

Questions 26-30: Choose the proper words to fill in the brackets.

　　　　　A 离开　　B 明白　　C 特别　　D 音乐　　E 声音　　F 刚才

例如：她说话的（　E　）多好听啊！

26.　我快要（　　　）这儿了，我们一起吃个饭吧。

27.　这个电影（　　　）有意思，我给你讲讲吧。

28.　今天的考试有点儿难，不少题我都不（　　　）。

29.　A：我今天喝了两杯咖啡，现在睡不着了。

　　　B：你可以听听（　　　）。

30.　A：小方，（　　　）经理找你。

　　　B：好，我现在就去经理办公室。

## 第三部分　Part III

第 31–35 题：选择正确答案
Questions 31-35: Choose the right answers.

例如：您是来参加今天会议的吗？您来早了一点儿，现在才八点半。您先进来坐吧。

　　★ 会议最可能几点开始？

　　A 8点　　　　　　B 8点半　　　　　　C 9点 √

31. 不少人觉得现在的人都不太会说话了。有时候想得很清楚，但是说不明白。

　　★ 现在的人：

　　A 不说话　　　　B 说话说得太快　　　　C 有时候说话说不明白

32. 考试或者做作业不明白的时候别着急问，其实多读读题、多想想，很快就能看懂问题。

　　★ 看不懂问题时：

　　A 不要着急问朋友　　B 多问问朋友　　　　C 问老师

33. 在中国，去朋友家玩儿，离开时朋友可能对你说"慢走"，很多外国人听不明白。其实他们的意思是让你在回去的路上小心点儿，不是让你慢点儿走。

　　★ 朋友说"慢走"的意思可能是：

　　A 路上小心　　　　B 别走得太快　　　　C 听不明白

34. 经理，我觉得店里的服务员有点儿少，现在来吃饭的客人越来越多，特别是晚上，这几个人忙不过来，您看要不要多找几个人来帮忙？

　　★ 说话人的意思是：

　　A 客人太少　　　　B 想多找几个服务员　　C 让经理来吃饭

35. 小红，你过来帮爸爸一个忙好不好？爸爸的眼镜找不到了，你看看在哪儿呢？我记得刚才放到椅子上了，是不是妈妈拿走了？

　　★ 爸爸让小红：

　　A 找眼镜　　　　　B 找妈妈　　　　　　C 搬椅子

第三部分　Part III

## 三、书写　Writing

### 第一部分　Part Ⅰ

第 36–40 题：连词成句

Questions 36-40: Rearrange the words/phrases to make sentences.

例如：小船　上　一　河　条　有

河上有一条小船。

36.　明白　　电话里　　讲　　不

37.　听　清楚　你　什么　说　不

38.　到　买　这儿　不　在　咖啡

39.　完　得　饭不多　吃　我

40.　吗　懂　看　汉语报纸　得　你

### 第二部分　Part Ⅱ

第 41–45 题：看拼音，写汉字

Questions 41-45: Write the characters based on their *pinyin*.

　　　　　guān
例如：没（　关　）系，别难过，高兴点儿。

　　　　gāng
41.　我（　　　）才一直在玩儿电脑游戏，可能没听见。

　　　　　　jiǎng
42.　这个问题我已经（　　　）得很明白了，不要再问我了。

　　　　　　　　　　　　　　　　　　　liáo
43.　中午休息的时候，大家都去公司楼下的饭馆吃饭、（　　　）天儿。

　　　　　　　yuán
44.　我家旁边有一个小公（　　　），我每天都带我的小狗去那儿走走。

　　　　　tè
45.　他跑得（　　　）别快，现在已经看不到他了。

## 第三部分　Part III

第 46-50 题：辨认汉字，选择正确的汉字填空
Questions 46-50: Distinguish the characters and fill in the blanks.

例如：我不知道 ___那___ 个地方在 ___哪___ 儿。（那、哪）

46. 这条 _____ 裙子一 _____ 块钱。（白、百）

47. 今天的 _____ 乐会很有 _____ 思。（意、音）

48. 对不起，我刚才没听 _____ 楚， _____ 您再讲一次，可以吗？（请、清）

49. 学校旁边饭馆的菜比学校里边的 _____ 宜，也 _____ 好吃。（更、便）

50. 明天你跟我一起去公园锻 _____ ，再去商店买 _____ 西，好吗？（东、炼）

# 四、复习　Review

第 1-2 题：根据课文内容填空
Questions 1-2: Fill in the blanks based on the texts in the textbook.

1. 周明 _____ 找不到眼镜了，周太太也没看见在哪儿。周明 _____ 眼镜，没有眼镜，他一个字也看不 _____ 。周太太觉得他 _____ 放在桌子上了，但是周明怎么看得到呢？他请周太太过来 _____ 找找。

2. 小刚有点儿不高兴：他想请小丽吃饭，但是 _____ 好饭馆。他想请小丽听 _____ ，但是人太多， _____ 票。跟小丽去 _____ 走走， _____ 呢？也不行，小刚觉得太累了。

# 7

Wǒ gēn tā dōu rènshi wǔ nián le

# 我跟她都认识五年了

**I've known her for five years**

## 一、听力 Listening  07

### 第一部分 Part I

第1-5题：听对话，选择与对话内容一致的图片

Questions 1-5: Choose the right picture for each dialogue you hear.

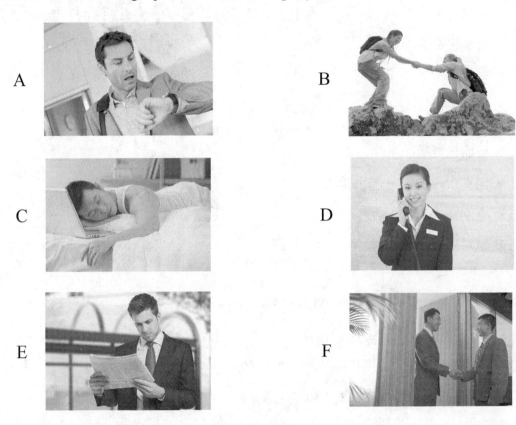

A B

C D

E F

例如：男：喂，请问张经理在吗？

　　　女：他正在开会，您半个小时以后再打，好吗？ [ D ]

1. [　]

2. [　]

3. [　]

4. [　]

5. [　]

## 第二部分　Part II

第 6-10 题：听句子，判断对错
Questions 6-10: Decide whether the statements are true or false based on the sentences you hear.

例如：为了让自己更健康，他每天都花一个小时去锻炼身体。

★ 他希望自己很健康。 （ ✓ ）

今天我想早点儿回家。看了看手表，才 5 点。过了一会儿再看表，还是 5 点，我这才发现我的手表不走了。

★ 那块儿手表不是他的。 （ × ）

6. ★ 他现在在银行上班。 （ 　 ）

7. ★ 他们还要等。 （ 　 ）

8. ★ 他喜欢跟朋友一起去爬山。 （ 　 ）

9. ★ 小刚在等人。 （ 　 ）

10. ★ 她对音乐不感兴趣。 （ 　 ）

## 第三部分　Part III

第 11-15 题：听短对话，选择正确答案
Questions 11-15: Listen to the short dialogues and choose the right answers.

例如：男：小王，帮我开一下门，好吗？谢谢！
女：没问题。您去超市了？买了这么多东西。
问：男的想让小王做什么？

　　A 开门 ✓　　　　B 拿东西　　　　C 去超市买东西

11. A 打车　　　　　B 坐公共汽车　　　C 走路

12. A 她病了　　　　B 她迟到了　　　　C 她没去工作

13. A 看电视　　　　B 运动　　　　　　C 周末

14. A 同学　　　　　B 同事　　　　　　C 师生

15. A 一会儿　　　　B 十二个小时　　　C 很久

## 第四部分　Part Ⅳ

第 16-20 题：听长对话，选择正确答案

Questions 16-20: Listen to the dialogues and choose the right answers.

例如：女：晚饭做好了，准备吃饭了。

男：等一会儿，比赛还有三分钟就结束了。

女：快点儿吧，一起吃，菜冷了就不好吃了。

男：你先吃，我马上就看完了。

问：男的在做什么？

|   | A　洗澡 | B　吃饭 | C　看电视 √ |
|---|---|---|---|

| 16. | A　欢迎男的来公司 | B　要结婚了 | C　在迎接新同事 |
|---|---|---|---|
| 17. | A　等车 | B　接人 | C　买东西 |
| 18. | A　银行 | B　书店 | C　学校 |
| 19. | A　唱歌 | B　吃饭 | C　看电视 |
| 20. | A　电影 | B　运动 | C　音乐 |

# 二、阅读　Reading

## 第一部分　Part I

第 21-25 题：选择合适的问答

Questions 21-25: Match the two parts of the same dialogue.

A　不行，要迟到了，我要走了。

B　我是新来的，刚工作三个月。

C　刚十几分钟，还有很远呢。

D　我看看，慢了半个小时。

E　当然。我们先坐公共汽车，然后换地铁。

F　不太累，每个月的钱也不少。

例如：你知道怎么去那儿吗？　　　　　　　　　　（　E　）

21.　你在这家公司工作多久了？　　　　　　　　（　　）

22.　别着急，再游一会儿吧。　　　　　　　　　（　　）

23.　你为什么选择在银行工作？　　　　　　　　（　　）

24.　你们爬了多长时间山了？　　　　　　　　　（　　）

25.　我的手表怎么了？　　　　　　　　　　　　（　　）

## 第二部分　Part II

第 26-30 题：选择合适的词语填空

Questions 26-30: Choose the proper words to fill in the brackets.

　　　　A 以前　　B 半　　C 差　　D 久　　E 声音　　F 同事

例如：她说话的（　E　）多好听啊！

26.　小丽是我的（　　　），也是我的好朋友，我们已经认识二十年了。

27.　来这家银行（　　　），我在两家公司工作过。

28.　我们每天早上八点（　　　）上课，上四个小时。

29.　A：看一下手表，现在几点了？

　　　B：（　　　）一刻八点。

30.　A：都九点了，你怎么回来这么晚？

　　　B：下班以后跟朋友在咖啡店聊天儿聊了很（　　　），天黑了都不知道。

## 第三部分　Part Ⅲ

第 31-35 题：选择正确答案

Questions 31-35: Choose the right answers.

例如：您是来参加今天会议的吗？您来早了一点儿，现在才八点半。您先进来坐吧。

    ★ 会议最可能几点开始？

    A　8点　　　　　　　B　8点半　　　　　　C　9点 √

31. 六个月大的女儿对音乐很感兴趣。她不高兴的时候，唱歌给她听或者让她听听音乐，一会儿她就笑了。

    ★ 她的女儿：

    A　喜欢音乐　　　　　B　不喜欢听歌　　　　C　六岁了

32. 我在北京住过十年，吃了不少北京菜，学了不少中国文化，现在还都记得。

    ★ 我：

    A　现在住在北京　　　B　现在不住在北京　　C　是北京人

33. 我妹妹不喜欢画画儿、唱歌，只对踢足球感兴趣。她会踢足球，也爱看足球比赛。

    ★ 我妹妹喜欢：

    A　唱歌　　　　　　　B　踢足球　　　　　　C　画画儿

34. 以前中国人结婚的时候，男女都不认识。丈夫会在结婚迎接妻子那天第一次见到妻子，妻子也第一次见到丈夫。

    ★ 以前中国人结婚，丈夫：

    A　对妻子不感兴趣　　B　以前就认识妻子　　C　结婚那天第一次见到妻子

35. 很多年轻人说不知道怎么找工作，总觉得自己的工作不好。有的人都工作了好几年了，钱也不少，但还不知道喜欢做什么。我觉得找工作的时候，兴趣第一，怎么能把钱放在第一呢？

    ★ 我觉得找工作的时候要看：

    A　公司给多少钱　　　B　喜欢不喜欢　　　　C　工作时间是多少

# 三、书写　Writing

## 第一部分　Part Ⅰ

第 36–40 题：连词成句

Questions 36-40: Rearrange the words/phrases to make sentences.

例如：小船　　上　　一　　河　　条　　有

河上有一条小船。 _____

36. 唱　　歌　　两个小时　　我们　　了

37. 什么　　感兴趣　　对　　你

38. 以前　　银行　　在　　我　　工作　　两年　　了

39. 电视　　看　　了　　三个钟头　　弟弟　　了

40. 了　　听　　十几分钟　　音乐　　昨天　　我

## 第二部分　Part Ⅱ

第 41–45 题：看拼音，写汉字

Questions 41-45: Write the characters based on their *pinyin*.

　　　　　　guān
例如：没（　关　）系，别难过，高兴点儿。

　　　　　gǎn
41. 我对音乐（　　）兴趣，你呢？

　　　　　　　yíng
42. 明天下午你去（　　）行吗？我跟你一起去吧。

　　　　　　　jié
43. 你是什么时候（　　）婚的？怎么都没告诉我们啊？

　　　　　　yíng
44. 您慢走，欢（　　）下次再来。

　　　　　jiǔ
45. 我问你，你多（　　）没去公司上班了？

48

## 第三部分　Part Ⅲ

第 46–50 题：辨认汉字，选择正确的汉字填空

Questions 46-50: Distinguish the characters and fill in the blanks.

例如：我不知道＿＿那＿＿个地方在＿＿哪＿＿儿。（那、哪）

46. 小方，你家离学校那么＿＿＿＿，怎么每天都＿＿＿＿到啊？（迟、近）

47. 大家好，这是新来的＿＿＿＿事，他今天早上刚来我们公＿＿＿＿。（同、司）

48. 我＿＿＿＿前没见过这个人，是昨天朋友给我介绍后＿＿＿＿识的。（认、以）

49. 明天我去＿＿＿＿你，下午三点在你家＿＿＿＿下等你。（接、楼）

50. 现在是三点一＿＿＿＿，十五分钟后请大家＿＿＿＿周经理办公室去。（刻、到）

# 四、复习　Review

第 1–2 题：根据课文内容填空

Questions 1-2: Fill in the blanks based on the texts in the textbook.

1. 小刚和小丽认识五年了，他们下个月＿＿＿＿＿＿＿＿，＿＿＿＿＿＿＿大家都去。一个
＿＿＿＿＿＿＿＿觉得很＿＿＿＿＿＿，因为他也对小丽＿＿＿＿＿＿。

2. 小丽让小刚七点半去＿＿＿＿＿＿＿＿她。现在已经＿＿＿＿＿＿一＿＿＿＿＿＿八点了，小刚
＿＿＿＿＿＿＿＿了，小丽特别不高兴。其实，不是小刚来晚了，是小丽的表＿＿＿＿＿＿＿
十五分钟。

## 8

Nǐ qù nǎr wǒ jiù qù nǎr

# 你去哪儿我就去哪儿

**I'll go wherever you go**

一、听力　**Listening**　 08

### 第一部分　Part I

第 1-5 题：听对话，选择与对话内容一致的图片

Questions 1-5: Choose the right picture for each dialogue you hear.

A

B

C

D

E

F

例如：男：喂，请问张经理在吗？

女：他正在开会，您半个小时以后再打，好吗？　　　　| D |

1.　　　　| |

2.　　　　| |

3.　　　　| |

4.　　　　| |

5.　　　　| |

## 第二部分　Part Ⅱ

第 6–10 题：听句子，判断对错

Questions 6-10: Decide whether the statements are true or false based on the sentences you hear.

例如：为了让自己更健康，他每天都花一个小时去锻炼身体。

　　★ 他希望自己很健康。　　　　　　　　　　　（　√　）

　　今天我想早点儿回家。看了看手表，才 5 点。过了一会儿再看表，还是 5 点，我这才发现我的手表不走了。

　　★ 那块儿手表不是他的。　　　　　　　　　　（　×　）

6.　★ 周经理换办公室了。　　　　　　　　　　　（　　　）

7.　★ 他们以前总是见面。　　　　　　　　　　　（　　　）

8.　★ 他喜欢安静的地方。　　　　　　　　　　　（　　　）

9.　★ 那位小姐要去十层。　　　　　　　　　　　（　　　）

10.　★ 他现在在洗手间。　　　　　　　　　　　　（　　　）

## 第三部分　Part Ⅲ

第 11–15 题：听短对话，选择正确答案

Questions 11-15: Listen to the short dialogues and choose the right answers.

例如：男：小王，帮我开一下门，好吗？谢谢！

　　　女：没问题。您去超市了？买了这么多东西。

　　　问：男的想让小王做什么？

　　　　　A　开门 √　　　　　B　拿东西　　　　　C　去超市买东西

11.　A　不让女的喝可乐　　B　不让女的睡觉　　C　不想喝可乐

12.　A　想休息　　　　　　B　感冒了　　　　　C　要照顾妈妈

13.　A　她要去洗手间　　　B　这儿有人　　　　C　男的可以坐这儿

14.　A　儿子身体不健康　　B　儿子学习不好　　C　儿子没去考试

15.　A　买裙子　　　　　　B　面试　　　　　　C　买衬衫

## 第四部分　Part IV

第 16-20 题：听长对话，选择正确答案

Questions 16-20: Listen to the dialogues and choose the right answers.

例如：女：晚饭做好了，准备吃饭了。

男：等一会儿，比赛还有三分钟就结束了。

女：快点儿吧，一起吃，菜冷了就不好吃了。

男：你先吃，我马上就看完了。

问：男的在做什么？

A　洗澡　　　　　B　吃饭　　　　　C　看电视 √

16.　A　咖啡馆　　　　B　电梯那儿　　　C　超市

17.　A　药　　　　　　B　面条　　　　　C　鸡蛋

18.　A　去洗手间　　　B　找雨伞　　　　C　去吃饭

19.　A　明天中午不忙　B　不想跟男的吃饭　C　不知道哪天吃饭

20.　A　考得很好　　　B　不会写汉字　　C　一个题都不会

# 二、阅读  Reading

## 第一部分  Part Ⅰ

第 21–25 题：选择合适的问答

Questions 21-25: Match the two parts of the same dialogue.

A　你下课以后去哪儿学习？

B　周末你有什么打算？

C　听说你最近打算买房子了？

D　可能吃的东西有问题，不太舒服。

E　当然。我们先坐公共汽车，然后换地铁。

F　那我们再买几块吧。

例如：你知道怎么去那儿吗？　　　　　　　　　　（　E　）

21.　你怎么又去洗手间啊？　　　　　　　　　　　（　　　）

22.　这种蛋糕很甜，孩子们很喜欢。　　　　　　　（　　　）

23.　是啊，看了很多，但是都不太满意。　　　　　（　　　）

24.　我要去跟几个老朋友见面。　　　　　　　　　（　　　）

25.　哪儿安静我就去哪儿。　　　　　　　　　　　（　　　）

## 第二部分  Part Ⅱ

第 26–30 题：选择合适的词语填空

Questions 26-30: Choose the proper words to fill in the brackets.

A 电梯　　B 洗手间　　C 几乎　　D 重要　　E 声音　　F 又

例如：她说话的（　E　）多好听啊！

26.　你等我一会儿，我去一下（　　　），马上回来。

27.　他（　　　）每天都要去公园锻炼一个小时。

28.　（　　　）里人太多了，我们别坐了。

29.　A：今天晚上你（　　　）要去听音乐会？

　　　B：是啊，我现在对音乐非常感兴趣。

30.　A：我觉得我越来越胖了，以后我不吃晚饭了。

　　　B：其实胖点儿或者瘦点儿都没关系，健康最（　　　）。

## 第三部分　Part Ⅲ

第 31-35 题：选择正确答案
Questions 31-35: Choose the right answers.

例如：您是来参加今天会议的吗？您来早了一点儿，现在才八点半。您先进来坐吧。

　　★ 会议最可能几点开始？

　　A　8点　　　　　　B　8点半　　　　　　C　9点 √

31. "再见"是一个很有意思的词，"再见"的意思是"再一次见面"，所以人们离开时说"再见"，是希望以后再见面。

　　★ 什么时候说"再见"？

　　A　离开　　　　　　B　见面　　　　　　C　上课

32. 我男朋友的家虽然不大，但是住着很舒服，楼里很安静，还有电梯，他很喜欢他现在的家。

　　★ 男朋友觉得他的家怎么样？

　　A　不舒服　　　　　B　太小了　　　　　C　很满意

33. 女孩子都喜欢穿裙子，爱唱歌、跳舞，但是我哥的女儿不是这样，她对运动很感兴趣，还喜欢玩儿电脑游戏，我几乎没见她穿过裙子。

　　★ 哥哥的女儿：

　　A　喜欢唱歌　　　　B　很少穿裙子　　　C　不爱运动

34. 丈夫最近很忙，没有时间去运动，又胖了几斤。他打算忙完这几天，就去跑步和游泳。

　　★ 丈夫最近：

　　A　变化不大　　　　B　身体不健康　　　C　很少锻炼

35. 你要明白，想让每个人都喜欢你是几乎不可能的，所以做事情不要害怕别人不满意，最重要的就是你很满意。

　　★ 做事情，最重要的是：

　　A　让每个人都喜欢你　　B　不害怕别人　　　C　你觉得做得很好

# 三、书写　Writing

## 第一部分　Part I

第 36–40 题：连词成句

Questions 36-40: Rearrange the words/phrases to make sentences.

例如：小船　　上　　一　　河　　条　　有

　　　河上有一条小船。
　　　—————————————————

36. 健康　　就　　吃什么　　我　　什么东西

37. 又　　你　　不满意了　　怎么

38. 熊猫　　再　　看一次　　我想　　去

39. 离婚　　很多　　瘦了　　以后　　她

40. 坐电梯　　上去　　我们　　吧

## 第二部分　Part II

第 41–45 题：看拼音，写汉字

Questions 41-45: Write the characters based on their *pinyin*.

例如：没（ guān 关 ）系，别难过，高兴点儿。

41. 房间里很（ ān 　　）静，我很满意。

42. 太晚了，我有点儿害（ pà 　　），你送我回家吧。

43. 你住的楼里有（ diàn 　　）梯吗？

44. 下课以后我（ mǎ 　　）上回家吃饭。

45. 你觉得工作和健康，哪个更（ zhòng 　　）要？

## 第三部分　Part Ⅲ

第 46–50 题：辨认汉字，选择正确的汉字填空
Questions 46-50: Distinguish the characters and fill in the blanks.

例如：我不知道＿＿那＿＿个地方在＿＿哪＿＿儿。（那、哪）

46. 今天下午你＿＿＿＿跟我一起去看＿＿＿＿猫吗？（熊、能）

47. 请＿＿＿＿，洗手＿＿＿＿在哪儿？（间、问）

48. ＿＿＿＿试的时候不认真，这是你的＿＿＿＿问题了。（老、考）

49. 你先上去，一＿＿＿＿儿我去十＿＿＿＿找你。（会、层）

50. 你离开的这＿＿＿＿年变化真大，我＿＿＿＿乎不认识你了。（几、九）

# 四、复习　Review

第 1–2 题：根据课文内容填空
Questions 1-2: Fill in the blanks based on the texts in the textbook.

1. 小丽最近打算买房子，今天＿＿＿＿＿＿去看了看，但是都不＿＿＿＿＿＿，一个没有
＿＿＿＿＿＿，不方便，一个在二十＿＿＿＿＿＿，太高了，她觉得往下看太＿＿＿＿＿＿了。

2. 周太太和＿＿＿＿＿＿同学五年没＿＿＿＿＿＿了，同学觉得周太太几乎没＿＿＿＿＿＿，
但是周太太说她胖了，现在想吃什么就吃什么，想吃多少就吃多少，因为
最＿＿＿＿＿＿，胖瘦没关系。

Tā    de    Hànyǔ shuō  de gēn Zhōngguórén  yíyàng  hǎo
# 她的汉语说得跟中国人一样好
**She speaks Chinese like a native**

## 一、听力　Listening  *09*

### 第一部分　Part Ⅰ

第 1–5 题：听对话，选择与对话内容一致的图片
Questions 1-5: Choose the right picture for each dialogue you hear.

例如：男：喂，请问张经理在吗？

　　　女：他正在开会，您半个小时以后再打，好吗？　　　　　D

1.　　　　　　　　　　　　　　　　　　　　　　　　　□

2.　　　　　　　　　　　　　　　　　　　　　　　　　□

3.　　　　　　　　　　　　　　　　　　　　　　　　　□

4.　　　　　　　　　　　　　　　　　　　　　　　　　□

5.　　　　　　　　　　　　　　　　　　　　　　　　　□

## 第二部分　Part II

第 6-10 题：听句子，判断对错

Questions 6-10: Decide whether the statements are true or false based on the sentences you hear.

例如：为了让自己更健康，他每天都花一个小时去锻炼身体。

　　　★ 他希望自己很健康。　　　　　　　　　　　　　（ √ ）

今天我想早点儿回家。看了看手表，才 5 点。过了一会儿再看表，还是 5 点，我这才发现我的手表不走了。

　　　★ 那块儿手表不是他的。　　　　　　　　　　　　（ × ）

6. 　★ 南方十二月的时候房间里不太冷。　　　　　　　　（　　）

7. 　★ 他觉得这本书很有意思。　　　　　　　　　　　　（　　）

8. 　★ 现在不下雪了。　　　　　　　　　　　　　　　　（　　）

9. 　★ 他以前的手机和现在的是一样的。　　　　　　　　（　　）

10. 　★ 周月喜欢手表。　　　　　　　　　　　　　　　　（　　）

## 第三部分　Part III

第 11-15 题：听短对话，选择正确答案

Questions 11-15: Listen to the short dialogues and choose the right answers.

例如：男：小王，帮我开一下门，好吗？谢谢！

　　　女：没问题。您去超市了？买了这么多东西。

　　　问：男的想让小王做什么？

　　　　　A 开门 √　　　　　B 拿东西　　　　　C 去超市买东西

11.　A 变胖了　　　　　　B 变瘦了　　　　　　C 头发变长了

12.　A 学得不太好　　　　B 不用努力了　　　　C 考了第一

13.　A 比饭馆的好吃　　　B 特别好吃　　　　　C 没有饭馆的好吃

14.　A 便宜的　　　　　　B 大的　　　　　　　C 小的

15.　A 特别有意思　　　　B 很容易　　　　　　C 很难

## 第四部分　Part Ⅳ

第 16–20 题：听长对话，选择正确答案

Questions 16-20: Listen to the dialogues and choose the right answers.

例如：女：晚饭做好了，准备吃饭了。

男：等一会儿，比赛还有三分钟就结束了。

女：快点儿吧，一起吃，菜冷了就不好吃了。

男：你先吃，我马上就看完了。

问：男的在做什么？

　　　　A　洗澡　　　　　　B　吃饭　　　　　　C　看电视 √

16.　A　每人最少讲 3 分钟　B　只要回答一个问题　C　没有问题

17.　A　周　　　　　　　　B　谢　　　　　　　　C　解

18.　A　买伞　　　　　　　B　叫出租车　　　　　C　找朋友

19.　A　山下下雪了　　　　B　山上有雪　　　　　C　山路好走

20.　A　喝热的　　　　　　B　不喝热的　　　　　C　喝饮料

# 二、阅读 Reading

## 第一部分 Part I

第 21–25 题：选择合适的问答
Questions 21-25: Match the two parts of the same dialogue.

A 快睡吧，明天还要上班呢。

B 请给我一杯热咖啡，不要牛奶。你要喝什么？

C 我太冷了，想快点儿回家。

D 小方，你是南方人还是北方人？

E 当然。我们先坐公共汽车，然后换地铁。

F 我看你们家孩子很爱唱歌啊。

例如：你知道怎么去那儿吗？ （ E ）

21. 跟你一样，也要咖啡，但是我要放一些牛奶。 （ ）

22. 我跟您一样，都是从南方来的。 （ ）

23. 你怎么越走越快？等等我。 （ ）

24. 对，跟他爸爸一样，都对音乐感兴趣。 （ ）

25. 小月还没回来，我有点儿不放心，再等等，你先睡。 （ ）

## 第二部分 Part II

第 26–30 题：选择合适的词语填空
Questions 26-30: Choose the proper words to fill in the brackets.

A 班　　B 中间　　C 了解　　D 一样　　E 声音　　F 比较

例如：她说话的（ E ）多好听啊！

26. 你看，这两个汉字是不是（ ）的？

27. 站在（ ）的人叫周明，他是我们公司的经理。

28. 外边（ ）冷，你多穿一件衣服吧。

29. A：刚才那个人，你认识吗？

B：我知道他的名字，但是不（ ）他。

30. A：你们（ ）有多少个学生？

B：以前是 16 个，昨天来了个新同学，现在是 17 个。

## 第三部分　Part Ⅲ

第 31–35 题：选择正确答案

Questions 31-35: Choose the right answers.

例如：您是来参加今天会议的吗？您来早了一点儿，现在才八点半。您先进来坐吧。

　　★ 会议最可能几点开始？

　　A　8点　　　　　　　B　8点半　　　　　　C　9点 ✓

31. 跟哥哥一样，我也觉得对我影响最大的人是妈妈。从我们学说话、学走路时开始，妈妈每天跟我们在一起，最重要的是她告诉我们怎样做人——做一个好人。

　　★ 妈妈：

　　A　是老师　　　　　B　对我很重要　　　C　跟哥哥一样

32. 听到"你中文说得真好""你真漂亮"时，外国人总是说"谢谢"。中国人跟外国人不一样，我们说"哪里哪里"，这不是在问"在哪儿"，是客气。

　　★ 听到"你做的饭几乎跟饭馆一样"时，中国人可能做什么？

　　A　说"谢谢"　　　B　不说话　　　　　C　说"哪里哪里"

33. 我女儿和白先生的儿子在一个学校上学。他儿子跟我女儿一样，都上三年级，但是不同班。他家孩子在一班，我女儿在四班。课间十分钟，他们总是一起玩儿，跟同班同学一样。

　　★ 白先生的儿子：

　　A　和我是同学　　　B　和我女儿同班　　C　课间总和我女儿见面

34. 学汉语时要多听、多说。有人害怕说错，所以不爱说。其实越害怕越不想说，越不想说越说不好。说错了没关系，这次错了，下次一定不会再错。

　　★ 学汉语时不能：

　　A　说错　　　　　　B　说不好　　　　　C　怕说错

35. 小时候，我女儿说她爸爸不喜欢她，因为爸爸没说过"女儿，我爱你"，也不说她漂亮。现在，女儿跟以前不一样了，因为她了解：其实爸爸跟妈妈一样爱她，只是爸爸不说，都在心里。

　　★ 现在，女儿：

　　A　不爱爸爸　　　　B　不了解爸爸　　　C　知道爸爸很爱她

# 三、书写 Writing

## 第一部分 Part I

第 36–40 题：连词成句
Questions 36-40: Rearrange the words/phrases to make sentences.

例如：小船　　上　　一　　河　　条　　有

河上有一条小船。_____

36. 快　　越　　那辆车　　开　　越

37. 跟　　我弟弟　　妈妈　　高　　一样

38. 越　　我和老同学　　高兴　　聊　　越

39. 新鲜　　苹果　　西瓜　　跟　　一样

40. 吃甜的　　越　　越　　你　　身体　　胖

## 第二部分 Part II

第 41–45 题：看拼音，写汉字
Questions 41-45: Write the characters based on their *pinyin*.

　　　　　　guān
例如：没（ 关 ）系，别难过，高兴点儿。

　　　　　　　　　　　　bān
41. 妈，给你介绍一下，这是我们（　　）同学白乐。

　　　　　　　　　　　　　　dān
42. 这么小的孩子一个人在家，我能不（　　）心吗？

　　　　　　　　jiào
43. 这个地方环境比（　　）安静，没有那么多车。

　　　　　　　　　　　　　　　　　　　　jiě
44. 其实，我只跟这个人见过一两次面，一点儿也不了（　　）她。

　　　　　cān
45. 我（　　）加过三次比赛，拿了两次第一，一次第二。

## 第三部分　Part III

第 46–50 题：辨认汉字，选择正确的汉字填空

Questions 46-50: Distinguish the characters and fill in the blanks.

例如：我不知道 ＿＿那＿＿ 个地方在 ＿＿哪＿＿ 儿。（那、哪）

46. 别 ＿＿＿＿ 心，虽然题很多， ＿＿＿＿ 是我一定能做完。（但、担）

47. 这个学 ＿＿＿＿ 的汉语老师比 ＿＿＿＿ 好，我们在这儿学吧。（校、较）

48. 请 ＿＿＿＿ ，这儿有人吗？我能坐在你们中 ＿＿＿＿ 吗？（问、间）

49. 我去问问我 ＿＿＿＿ 夫吧，他学过中 ＿＿＿＿ ，能看懂这个。（文、丈）

50. 给我买杯 ＿＿＿＿ 啡吧，一会儿我要参 ＿＿＿＿ 一个面试。（加、咖）

## 第四部分　Part IV

第 51–54 题：用下边的汉字组词

Questions 51-54: Make words using the following characters.

例如：找 ＿＿找人＿＿ 、 ＿＿找到＿＿

51. 住 ＿＿＿＿＿＿ 、 ＿＿＿＿＿＿　　　53. 放 ＿＿＿＿＿＿ 、 ＿＿＿＿＿＿

52. 请 ＿＿＿＿＿＿ 、 ＿＿＿＿＿＿　　　54. 歌 ＿＿＿＿＿＿ 、 ＿＿＿＿＿＿

# 四、复习　Review

第 1–2 题：根据课文内容填空

Questions 1-2: Fill in the blanks based on the texts in the textbook.

1. 大山觉得马可的汉语 ＿＿＿＿＿＿＿＿ 了，但是马可觉得他们 ＿＿＿＿＿＿＿＿ 李静的汉语更好，
说得 ＿＿＿＿＿＿＿＿ 中国人 ＿＿＿＿＿＿＿＿ 。大山没听说过李静这个名字，其实，李静是
马可的 ＿＿＿＿＿＿＿＿ 老师。

2. 小丽爬山的时候有点儿害怕，因为山越高，路越难走，她 ＿＿＿＿＿＿＿＿ 。小刚对这儿
比较 ＿＿＿＿＿＿＿＿ ，他让小丽别 ＿＿＿＿＿＿＿＿ 。他们现在 ＿＿＿＿＿＿＿＿ 休息一下，一会儿从
＿＿＿＿＿＿＿＿ 那条路上去。

# 10

Shùxué bǐ lìshǐ nánduō le

# 数学比历史难多了

## Maths is much harder than history

## 一、听力 Listening  10

### 第一部分 Part Ⅰ

第 1–5 题：听对话，选择与对话内容一致的图片

Questions 1-5: Choose the right picture for each dialogue you hear.

A

B

C

D

E

F

例如： 男：喂，请问张经理在吗？

女：他正在开会，您半个小时以后再打，好吗？　　D

1. ☐

2. ☐

3. ☐

4. ☐

5. ☐

## 第二部分　Part Ⅱ

第 6-10 题：听句子，判断对错

Questions 6-10: Decide whether the statements are true or false based on the sentences you hear.

例如：为了让自己更健康，他每天都花一个小时去锻炼身体。

　　　★ 他希望自己很健康。　　　　　　　　　　　（ √ ）

　　　今天我想早点儿回家。看了看手表，才 5 点。过了一会儿再看表，还是 5 点，我
这才发现我的手表不走了。

　　　★ 那块儿手表不是他的。　　　　　　　　　　（ × ）

6.　★ 今天比昨天冷得多。　　　　　　　　　　　　（　）

7.　★ 他们要回家了。　　　　　　　　　　　　　　（　）

8.　★ 爸爸很健康，因为他喜欢运动。　　　　　　　（　）

9.　★ 他每天工作很累。　　　　　　　　　　　　　（　）

10.　★ 以前儿子不喜欢学习。　　　　　　　　　　　（　）

## 第三部分　Part Ⅲ

第 11-15 题：听短对话，选择正确答案

Questions 11-15: Listen to the short dialogues and choose the right answers.

例如：男：小王，帮我开一下门，好吗？谢谢！

　　　女：没问题。您去超市了？买了这么多东西。

　　　问：男的想让小王做什么？

　　　　　A 开门 √　　　　　B 拿东西　　　　　C 去超市买东西

11.　A 买两个　　　　　B 买三个　　　　　C 少买一点儿

12.　A 好点儿了　　　　B 好多了　　　　　C 越来越不好

13.　A 小刚　　　　　　B 方明　　　　　　C 一样高

14.　A 飞机上　　　　　B 电影院　　　　　C 火车上

15.　A 三个　　　　　　B 三十个　　　　　C 很多

## 第四部分　Part IV

第 16–20 题：听长对话，选择正确答案

Questions 16-20: Listen to the dialogues and choose the right answers.

例如：女：晚饭做好了，准备吃饭了。

男：等一会儿，比赛还有三分钟就结束了。

女：快点儿吧，一起吃，菜冷了就不好吃了。

男：你先吃，我马上就看完了。

问：男的在做什么？

　　A　洗澡　　　　　B　吃饭　　　　　C　看电视 √

16. A　可能骑自行车　　B　可能坐公共汽车　　C　要去上课

17. A　明天很冷　　　　B　明天是阴天　　　　C　下雪时最冷

18. A　买了一辆旧车　　B　买的是自行车　　　C　买了五辆车

19. A　妈妈高得多　　　B　一样高　　　　　　C　女儿高得多

20. A　去咖啡店　　　　B　听音乐会　　　　　C　买东西

## 二、阅读 Reading

### 第一部分 Part I

第21-25题：选择合适的问答

Questions 21-25: Match the two parts of the same dialogue.

A 好，你等我一两分钟，我去一下洗手间。

B 你怎么在这么远的地方买房子？

C 体育比数学容易多了，也有意思多了。

D 今天我不上班，我昨天只睡了两三个小时，让我再睡一会儿。

E 当然。我们先坐公共汽车，然后换地铁。

F 小方，你跟小丽一样大吗？

例如：你知道怎么去那儿吗？                （ E ）

21. 九点半了，你迟到了，快起床。          （    ）

22. 我们去买点儿吃的吧，我早就饿了。      （    ）

23. 她的生日是五月，我是一月，我比她大一点儿。  （    ）

24. 你个子那么高，跑得也快，当然觉得容易。  （    ）

25. 虽然远，但是附近有三四个车站，很方便。  （    ）

### 第二部分 Part II

第26-30题：选择合适的词语填空

Questions 26-30: Choose the proper words to fill in the brackets.

A 方便    B 骑    C 换    D 地方    E 声音    F 旧

例如：她说话的（ E ）多好听啊！

26. 这件衣服有点儿（    ）了，我不想穿了。

27. 我还没去过那个（    ），漂亮吗？好玩儿吗？

28. 你（    ）得太快了，慢点儿，小心前边的车。

29. A：你每天怎么去学校？坐车还是坐地铁？

    B：坐地铁更快，也更（    ）。

30. A：这辆车买了十五六年了，总是出问题。

    B：那（    ）一辆新的吧，车出问题不是件小事儿。

## 第三部分　Part III

第 31-35 题：选择正确答案

Questions 31-35: Choose the right answers.

例如：您是来参加今天会议的吗？您来早了一点儿，现在才八点半。您先进来坐吧。

　　★ 会议最可能几点开始？

　　A　8点　　　　　　B　8点半　　　　　　C　9点 ✓

31. 每个周末，我们一家人都去公园或远的地方走走、玩儿玩儿。我们不坐公共汽车，也不坐出租车，我们骑自行车去。很多时候，骑车比开车、坐车方便得多，也快得多。最主要是因为骑车对身体好，对环境也好。

　　★ 骑车：

　　A　没有坐车方便　　　B　对环境很好　　　C　不健康

32. 以前中国有很多茶馆，但现在越来越少，咖啡店越来越多了，人们走累了可以去咖啡店坐坐，喝点儿咖啡，当然也有茶、牛奶和水。这样的咖啡店比以前的茶馆安静得多，环境也更好，大家很喜欢去。

　　★ 咖啡店：

　　A　没有茶馆多　　　B　不太安静　　　C　环境比茶馆好

33. 我家楼下有一家旧车店，卖"二手"自行车。没有那么多钱买新车的人，可以到这儿来买辆旧的骑骑，特别便宜，也方便。

　　★ "二手"车的意思是：

　　A　便宜车　　　　　B　新车　　　　　　C　旧车

34. 我女儿现在每天都要上历史课、体育课和数学课。她说她最喜欢历史课，因为历史课比数学课和体育课有意思多了。体育课比数学课容易一些，但是没有历史课那么好玩儿。

　　★ 女儿最不喜欢上什么课？

　　A　数学课　　　　　B　历史课　　　　　C　体育课

35. 有时候，我真想回到以前。五年前这个地方比现在安静得多，这儿只有一条路，房子也没有现在多。现在这儿有四五条路，路上都是车，大楼也越来越多，饭馆有二三十个呢！

　　★ 这个地方：

　　A　以前没有路　　　B　现在有 45 条路　　　C　现在的路比以前多

# 三、书写 Writing

## 第一部分 Part Ⅰ

第 36–40 题：连词成句

Questions 36-40: Rearrange the words/phrases to make sentences.

例如： 小船　　上　　一　　河　　条　　有

河上有一条小船。

36. 这个地方　　安静　　比　　那个地方　　一些

37. 周经理　　都　　一两杯　　喝　　咖啡　　每天

38. 自行车　　快　　骑　　比　　得多　　走路

39. 矮　　朋友　　一点儿　　我　　比　　个子

40. 四　　五　　只有　　教室里　　个　　学生

## 第二部分 Part Ⅱ

第 41–45 题：看拼音，写汉字

Questions 41-45: Write the characters based on their *pinyin*.

　　　　　　guān
例如：没（　关　）系，别难过，高兴点儿。

　　　　　　　　　　　　qí
41. 我们坐公共汽车去吧，我不会（　　　）自行车。

　　　　　　　　　　　huàn
42. 这条裙子有点儿瘦，我可以（　　　）一条吗？

　　　　　　　　　　huán
43. 我喜欢住在这个地方，因为（　　　）境特别好，最重要的是有很多商店。

　　　　fù
44. 这儿（　　　）近有个学校，每天下午都有很多爸爸妈妈接孩子。

　　　　　　　zhǔ
45. 在这个学校，我的工作（　　　）要是给学生上历史课。

### 第三部分　Part Ⅲ

第 46–50 题：辨认汉字，选择正确的汉字填空
Questions 46-50: Distinguish the characters and fill in the blanks.

例如：我不知道 __那__ 个地方在 __哪__ 儿。（那、哪）

46. 弟弟新买了一辆 _____ 色的 _____ 行车。（自、白）

47. _____ 学老师的办公室不在这儿，在 _____ 上。（数、楼）

48. 音乐课容易吗？我觉得音乐课比历 _____ 课 _____ 难。（更、史）

49. 请问， _____ 子旁边的那辆车，我可以 _____ 一下吗？（骑、椅）

50. 我们每个星期都 _____ 两次体 _____ 课。（育、有）

## 四、复习　Review

第 1–2 题：根据课文内容填空
Questions 1-2: Fill in the blanks based on the texts in the textbook.

1. 小丽上个月搬家了，走路去公司二十分钟就到，很 _____ ，所以最近比以前来得 _____ 。她还打算 _____ 一辆 _____ ，因为以前那辆太 _____ 了。

2. 大山在看房子。中介公司的人告诉他，学校里边比学校外边方便一点儿， _____ 有 _____ 个车站。学校外边的房子比学校里边的大 _____ ，也比学校里边的安静。大山觉得房子大小没关系，最 _____ 的是 _____ 。

Bié wàngle bǎ kōngtiáo guān le

# 别忘了把空调关了

**Don't forget to turn off the air conditioner**

---

## 一、听力　Listening  11

### 第一部分　Part I

第1–5题：听对话，选择与对话内容一致的图片

Questions 1-5: Choose the right picture for each dialogue you hear.

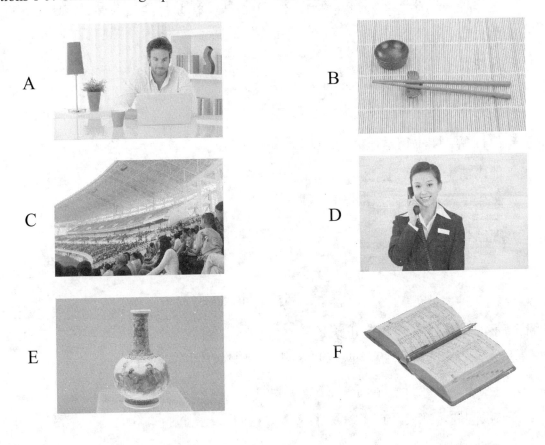

A
B
C
D
E
F

例如：男：喂，请问张经理在吗？

　　　女：他正在开会，您半个小时以后再打，好吗？　　　D

1.

2.

3.

4.

5.

## 第二部分　Part II

第 6–10 题：听句子，判断对错

Questions 6-10: Decide whether the statements are true or false based on the sentences you hear.

例如：为了让自己更健康，他每天都花一个小时去锻炼身体。

　　　★ 他希望自己很健康。　　　　　　　　　　　　（　√　）

今天我想早点儿回家。看了看手表，才 5 点。过了一会儿再看表，还是 5 点，我这才发现我的手表不走了。

　　　★ 那块儿手表不是他的。　　　　　　　　　　　（　×　）

6. 　★ 他的电脑出了点儿问题。　　　　　　　　　　（　　）

7. 　★ 他打算去图书馆学习。　　　　　　　　　　　（　　）

8. 　★ 他以前骑自行车上班。　　　　　　　　　　　（　　）

9. 　★ 跟家人一起吃晚饭很快乐。　　　　　　　　　（　　）

10. 　★ 啤酒在桌子上。　　　　　　　　　　　　　　（　　）

## 第三部分　Part III

第 11–15 题：听短对话，选择正确答案

Questions 11-15: Listen to the short dialogues and choose the right answers.

例如：男：小王，帮我开一下门，好吗？谢谢！

　　　女：没问题。您去超市了？买了这么多东西。

　　　问：男的想让小王做什么？

　　　　　A　开门 √　　　　B　拿东西　　　　C　去超市买东西

11. 　A　地铁站　　　　B　眼镜店　　　　C　地图

12. 　A　给妹妹喝牛奶　　B　去超市买牛奶　　C　带妹妹去医院

13. 　A　同事　　　　　B　经理和客人　　　C　医生和病人

14. 　A　出去开会　　　B　照顾小雨　　　　C　和女的去公园

15. 　A　让女的去还书　　B　书已经还了　　　C　女的忘了还书

## 第四部分　Part IV

第 16–20 题：听长对话，选择正确答案

Questions 16-20: Listen to the dialogues and choose the right answers.

例如：女：晚饭做好了，准备吃饭了。

男：等一会儿，比赛还有三分钟就结束了。

女：快点儿吧，一起吃，菜冷了就不好吃了。

男：你先吃，我马上就看完了。

问：男的在做什么？

|  | A　洗澡 | B　吃饭 | C　看电视 √ |
|---|---|---|---|

| 16. | A　今天比较忙 | B　空调有问题 | C　叫人来换水 |
|---|---|---|---|
| 17. | A　已经洗澡了 | B　不喜欢出去跑步 | C　想去超市买东西 |
| 18. | A　比以前便宜了 | B　太旧了 | C　又大又方便 |
| 19. | A　来周先生家吃晚饭 | B　每天八点左右下班 | C　总是照顾周先生的小狗 |
| 20. | A　玩儿电脑 | B　打篮球 | C　复习考试 |

# 二、阅读 Reading

## 第一部分 Part I

第 21-25 题：选择合适的问答

Questions 21-25: Match the two parts of the same dialogue.

A 都这么晚了，今天别看书了，快睡觉吧。

B 你什么时候来找我，我们一起去图书馆吧。

C 我昨天没来，把你的笔记本借我看看吧。

D 我今天是开车来的，你们喝吧。

E 当然。我们先坐公共汽车，然后换地铁。

F 不是，我去参加一个会议，下星期三回来。

例如：你知道怎么去那儿吗？　　　　　　　　　　（ E ）

21. 中午吃完饭，一点左右，怎么样？　　　　　　（　　）

22. 你带这么多东西，又要出去旅游吗？　　　　　（　　）

23. 我习惯睡觉以前看会儿书了，不看书我睡不着。（　　）

24. 周经理，您怎么一口酒都不喝？　　　　　　　（　　）

25. 对不起，我忘带了，明天给你吧。　　　　　　（　　）

## 第二部分 Part II

第 26-30 题：选择合适的词语填空

Questions 26-30: Choose the proper words to fill in the brackets.

　　　　A 结束　　B 图书馆　　C 地铁　　D 习惯　　E 声音　　F 关

例如：她说话的（ E ）多好听啊！

26. 我们一会儿在（　　）门口见面吧。

27. 你去经理的办公室把灯（　　）了。

28. 我想住在（　　）站附近，这样去别的地方很方便。

29. A：今天晚上的音乐会几点（　　）？

　　B：十点左右，你还有事情吗？

30. A：给你买件衬衫吧，在银行上班穿衬衫好一些。

　　B：我还不太（　　）穿衬衫。

## 第三部分　Part Ⅲ

第 31–35 题：选择正确答案

Questions 31-35: Choose the right answers.

例如：您是来参加今天会议的吗？您来早了一点儿，现在才八点半。您先进来坐吧。

　　★ 会议最可能几点开始？

　　A　8点　　　　　　　　B　8点半　　　　　　　　C　9点 √

31. 我每天下班都坐地铁回家，在地铁上，我更喜欢站着，因为我已经在办公室里坐了一天了。

　　★ 我为什么在地铁上站着？

　　A　地铁上人很多　　　　B　我不累　　　　　　　C　我坐了一天了

32. 看书时会看到一些历史上的人或者国家的名字，这些字现在很多都不用了，想要知道这些字的读音和意思就要字典的帮助，所以有本字典很方便。

　　★ 看书时会看到：

　　A　不认识的字　　　　　B　现在的名人　　　　　C　汉字的读音

33. 中国有一句话叫"有借有还，再借不难"，是说向别人借的东西，用完就要还，这样下次你再借东西的时候，他们还会借给你。

　　★ 借了别人的东西：

　　A　别用太长时间　　　　B　要记得还　　　　　　C　不能再借

34. 我爸爸妈妈都是北方人，但是我一直住在南方，所以没见过雪。搬到北京以后，虽然这儿的天气很冷，我还不太习惯，但是我见到雪了，我很高兴。

　　★ 她：

　　A　不想搬家　　　　　　B　见到雪了　　　　　　C　习惯北京的天气

35. 下班后，我们一起去喝啤酒吧，就在公司旁边，以前是六十元一个人，现在是三十元一个人，想喝几瓶就可以喝几瓶，还送一些吃的。你那个朋友姓什么，我忘记了，叫他也来吧。

　　★ 根据这段话，可以知道：

　　A　我忘记我朋友的名字了　　B　三十元可以喝一瓶啤酒　　C　喝啤酒比以前便宜了

# 三、书写 Writing

## 第一部分 Part I

第36-40题：连词成句

Questions 36-40: Rearrange the words/phrases to make sentences.

例如： 小船　　上　　一　　河　　条　　有

　　　　河上有一条小船。

_____

36. 左右　　上地铁　　我每天　　七点

37. 几点　　图书馆　　关门

38. 喝了　　我昨天　　啤酒　　两瓶

39. 参加　　运动会　　今年的　　你　　吗

40. 别　　忘了　　手机　　你　　把

## 第二部分 Part II

第41-45题：看拼音，写汉字

Questions 41-45: Write the characters based on their *pinyin*.

　　　　　　guān
例如： 没（　关　）系，别难过，高兴点儿。

　　　　　　bǐ
41. 这个笔记（　　　）电脑太贵了。

　　　　　　　　xí
42. 早睡早起是一个好（　　　）惯。

　　　　huì
43. 今天的（　　　）议几点结束？

　　　　　　　　cí
44. 我从图书馆借了一本英汉（　　　）典。

　　　　dēng
45. 房间里的（　　　）怎么还开着呢？

## 第三部分　Part Ⅲ

第 46–50 题：辨认汉字，选择正确的汉字填空
Questions 46-50: Distinguish the characters and fill in the blanks.

例如：我不知道___那___个地方在___哪___儿。（那、哪）

46. 家里的空_____坏了，_____末我要叫人来看看。（周、调）

47. 昨_____你离开的时候忘记_____灯了。（关、天）

48. 你帮我把_____本数学书_____了吧。（还、这）

49. _____点儿，2 号桌还少一双_____子。（快、筷）

50. 你看_____了，我_____的不是这本书。（借、错）

# 四、复习　Review

第 1–2 题：根据课文内容填空
Questions 1-2: Fill in the blanks based on the texts in the textbook.

1. 开会的时候，小丽告诉周明，王经理两点_____来了个电话，说他已经坐_____来公司了。周明告诉小丽会议_____后，别_____把_____关了。

2. 今天是爸爸的生日，所以妈妈做了很多菜。妈妈让儿子去拿_____，还差一_____。儿子想让爸爸喝点儿_____，但是医生说爸爸一_____酒都不能喝，所以不能让他看见酒_____。

## 一、听力  Listening  12

### 第一部分  Part Ⅰ

第1-5题：听对话，选择与对话内容一致的图片

Questions 1-5: Choose the right picture for each dialogue you hear.

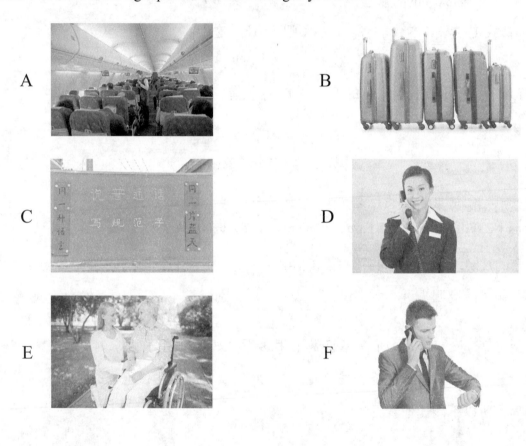

A

B

C

D

E

F

例如：男：喂，请问 张经理在吗？

女：他正在开会，您半个小时以后再打，好吗？    D

1.  □

2.  □

3.  □

4.  □

5.  □

## 第二部分　Part Ⅱ

第 6-10 题：听句子，判断对错

Questions 6-10: Decide whether the statements are true or false based on the sentences you hear.

例如：为了让自己更健康，他每天都花一个小时去锻炼身体。

　　　★ 他希望自己很健康。　　　　　　　　　　　　　（ ✓ ）

　　　今天我想早点儿回家。看了看手表，才 5 点。过了一会儿再看表，还是 5 点，我
　　这才发现我的手表不走了。

　　　★ 那块儿手表不是他的。　　　　　　　　　　　　（ × ）

6.　★ 他是出租车司机。　　　　　　　　　　　　　　（　）

7.　★ 他不喜欢跟老师学画画儿。　　　　　　　　　　（　）

8.　★ 老师昨天没讲明白。　　　　　　　　　　　　　（　）

9.　★ 爸爸洗衣服的时候发现了护照。　　　　　　　　（　）

10.　★ 桌子和椅子都旧了。　　　　　　　　　　　　　（　）

## 第三部分　Part Ⅲ

第 11-15 题：听短对话，选择正确答案

Questions 11-15: Listen to the short dialogues and choose the right answers.

例如：男：小王，帮我开一下门，好吗？谢谢！

　　　女：没问题。您去超市了？买了这么多东西。

　　　问：男的想让小王做什么？

　　　　　A　开门 ✓　　　　B　拿东西　　　　C　去超市买东西

11.　A　公园里边　　　　B　公园西门　　　　C　公园北门

12.　A　太阳从西边出来　　B　女的不可能每天跑步　C　明天要跑一千米

13.　A　行李箱里　　　　B　包里　　　　　　C　手里

14.　A　学校　　　　　　B　银行　　　　　　C　西门

15.　A　开车　　　　　　B　打车　　　　　　C　坐公共汽车

## 第四部分　Part Ⅳ

第 16–20 题：听长对话，选择正确答案

Questions 16-20: Listen to the dialogues and choose the right answers.

例如：女：晚饭做好了，准备吃饭了。

男：等一会儿，比赛还有三分钟就结束了。

女：快点儿吧，一起吃，菜冷了就不好吃了。

男：你先吃，我马上就看完了。

问：男的在做什么？

　　　　A　洗澡　　　　　　B　吃饭　　　　　　C　看电视 √

16.　A　太阳　　　　　　　B　小猫　　　　　　C　花儿

17.　A　帮女的拿西瓜　　　B　想再吃点儿米饭　　C　想吃点儿西瓜

18.　A　去接人　　　　　　B　坐火车　　　　　　C　找司机

19.　A　骑车去上课　　　　B　教女的骑车　　　　C　学骑自行车

20.　A　来机场晚了　　　　B　找不到护照了　　　C　忘了给女的打电话

## 二、阅读 Reading

### 第一部分　Part I

第21-25题：选择合适的问答

Questions 21-25: Match the two parts of the same dialogue.

A　你怎么现在才给周经理写信？

B　我想学画画儿，你帮我找一个老师教我吧。

C　请问您需要什么帮助吗？

D　你看桌子下边的那个箱子里有没有？

E　当然。我们先坐公共汽车，然后换地铁。

F　我担心路上车太多，不好走。

例如：你知道怎么去那儿吗？　　　　　　　　　（　E　）

21.　我找不到行李箱了，您帮我找找吧。　　　（　　　）

22.　飞机十点才起飞，你怎么现在就要走？　　（　　　）

23.　你想学画画儿，真是太阳从西边出来了。　（　　　）

24.　你把我的护照放在哪儿了？　　　　　　　（　　　）

25.　对不起，小丽才把他的电子邮箱告诉我。　（　　　）

### 第二部分　Part II

第26-30题：选择合适的词语填空

Questions 26-30: Choose the proper words to fill in the brackets.

　　　　　A 司机　　B 起飞　　C 发现　　D 自己　　E 声音　　F 包

例如：她说话的（　E　）多好听啊！

26.　我回来了，真累啊，帮我把（　　　）放在桌子上吧。

27.　你给（　　　）打个电话，让他下午三点来接我。

28.　我（　　　）你最近总是上课睡觉，你晚上几点睡啊？

29.　A：我们的飞机几点（　　　）？

　　　B：下午三点四十分，还有一个小时。

30.　A：你帮我把衣服洗了吧。

　　　B：这些都是你的衣服，你（　　　）洗吧。

## 第三部分　Part III

第 31-35 题：选择正确答案
Questions 31-35: Choose the right answers.

例如：您是来参加今天会议的吗？您来早了一点儿，现在才八点半。您先进来坐吧。

　　★ 会议最可能几点开始？

　　A　8点　　　　　　B　8点半　　　　　　C　9点 √

31. 有个词语叫"老小孩儿"，意思是人老了有时候跟小孩儿一样，容易高兴，也容易生气。

　　★ 根据这段话，可以知道老人：

　　A　总是生气　　　B　很喜欢小孩儿　　　C　有些地方跟小孩儿一样

32. 妻子今天不舒服，我把她送到了医院，医生看了以后说没有大的问题，可能是最近工作太忙、太累了，让她在家里休息几天。

　　★ 妻子：

　　A　需要休息　　　B　自己去医院了　　　C　已经休息几天了

33. 我是新来的司机，姓高，您叫我小高就可以了。来，把您的行李箱给我，我放在车的后边。您带好护照和机票了吗？我们现在就去机场。

　　★ 小高：

　　A　要去坐飞机　　　B　在机场工作　　　C　是一个司机

34. 周明是我爸爸的同学，也是他现在的同事。我小的时候，他有时候带我出去玩儿，还教会了我游泳。明天是他的生日，我要去给他买一个大的蛋糕。

　　★ 周明：

　　A　是我的同学　　　B　喜欢游泳　　　C　明天过生日

35. 有的事儿就是很有意思，我昨天才发现，你给小张介绍的男朋友是我妻子以前的同事。我们以前见过面，还一起吃过饭，那个时候我就想把他介绍给小张。

　　★ 小张的男朋友是我妻子：

　　A　以前的同事　　　B　以前的丈夫　　　C　以前的男朋友

# 三、书写 Writing

## 第一部分 Part I

第 36-40 题：连词成句

Questions 36-40: Rearrange the words/phrases to make sentences.

例如：小船　上　一　河　条　有

　　　河上有一条小船。

_____

36. 护照　桌子上　放到　请把

37. 需要　笔记本　买个　电脑　我

38. 写字　黑板上　在　你习惯　吗

39. 超市　自己　吧　你　去

40. 起飞　半个小时　还有　就　了　飞机

## 第二部分 Part II

第 41-45 题：看拼音，写汉字

Questions 41-45: Write the characters based on their *pinyin*.

　　　　　guān
例如：没（ 关 ）系，别难过，高兴点儿。

　　　　　　tài
41. 今天没有（　　）阳，天气很冷。

　　　　　　xī
42. 地铁站（　　）边有一个咖啡店。

　　　　bāo
43. 请你把（　　）给我。

　　　　　　huà
44. 老师今天教我们（　　）小猫。

　　　　　xíng
45. 这个（　　）李箱是谁的？

## 第三部分  Part III

第 46-50 题：辨认汉字，选择正确的汉字填空

Questions 46-50: Distinguish the characters and fill in the blanks.

例如：我不知道＿＿那＿＿个地方在＿＿哪＿＿儿。（那、哪）

46. 你＿＿＿＿经不是小孩子了，要照顾好自＿＿＿＿。（已、己）

47. 飞机就要＿＿＿＿飞了，我们没有时间去＿＿＿＿市了。（起、超）

48. 以前我们是＿＿＿＿学，现在他是我的＿＿＿＿机。（司、同）

49. 真生＿＿＿＿，我刚到车站，公共＿＿＿＿车就离开了。（气、汽）

50. 我发＿＿＿＿你最近越来越爱看电＿＿＿＿了。（现、视）

# 四、复习  Review

第 1-2 题：根据课文内容填空

Questions 1-2: Fill in the blanks based on the texts in the textbook.

1. 小丽觉得今天＿＿＿＿＿＿从＿＿＿＿＿＿＿＿边出来了，因为小刚 12 点以前＿＿＿＿＿＿＿＿要

   睡觉了。小刚说，他的经理＿＿＿＿＿＿＿＿了，明天小刚 8 点不到，以后就别去上班了。

2. 小刚去机场迟到了，因为他去机场的路上才发现忘带＿＿＿＿＿＿＿＿了。到了机场，他

   跟周经理借钱，因为＿＿＿＿＿＿＿＿把他送到机场的时候，他又＿＿＿＿＿＿＿＿自己忘记带

   ＿＿＿＿＿＿＿＿了。飞机就要＿＿＿＿＿＿＿＿了，周经理让小刚把重要的东西放在他那儿。

# 13

Wǒ shì zǒu huílai de

## 我是走回来的

**I walked back**

## 一、听力 Listening  13

### 第一部分 Part I

第1-5题：听对话，选择与对话内容一致的图片

Questions 1-5: Choose the right picture for each dialogue you hear.

A

B

C

D

E

F

例如：男：喂，请问张经理在吗？

女：他正在开会，您半个小时以后再打，好吗？  　D

1. ☐

2. ☐

3. ☐

4. ☐

5. ☐

### 第二部分　Part II

第 6–10 题：听句子，判断对错

Questions 6-10: Decide whether the statements are true or false based on the sentences you hear.

例如：为了让自己更健康，他每天都花一个小时去锻炼身体。

　　★ 他希望自己很健康。　　　　　　　　　　（ √ ）

今天我想早点儿回家。看了看手表，才 5 点。过了一会儿再看表，还是 5 点，我这才发现我的手表不走了。

　　★ 那块儿手表不是他的。　　　　　　　　　（ × ）

6.　★ 那位老人遇到了问题。　　　　　　　　　（　　）

7.　★ 他一直一边吃早饭一边看报纸。　　　　　（　　）

8.　★ 他是开车来公司的。　　　　　　　　　　（　　）

9.　★ 爸爸很喜欢做饭。　　　　　　　　　　　（　　）

10.　★ 以前方校长喜欢爬山。　　　　　　　　　（　　）

### 第三部分　Part III

第 11–15 题：听短对话，选择正确答案

Questions 11-15: Listen to the short dialogues and choose the right answers.

例如：男：小王，帮我开一下门，好吗？谢谢！

　　　女：没问题。您去超市了？买了这么多东西。

　　　问：男的想让小王做什么？

　　　　　A　开门 √　　　　　B　拿东西　　　　　C　去超市买东西

11.　A　她去爬山了　　　B　她喝了很多水　　　C　她是走上楼来的

12.　A　走回家去　　　　B　聊天儿　　　　　　C　去超市

13.　A　已经不年轻了　　B　很想爸妈　　　　　C　要去国外

14.　A　饭馆门口　　　　B　饭馆里边　　　　　C　离饭馆不远的地方

15.　A　坐火车　　　　　B　坐飞机　　　　　　C　开车

**第四部分 Part IV**

第16-20题：听长对话，选择正确答案

Questions 16-20: Listen to the dialogues and choose the right answers.

例如：女：晚饭做好了，准备吃饭了。

男：等一会儿，比赛还有三分钟就结束了。

女：快点儿吧，一起吃，菜冷了就不好吃了。

男：你先吃，我马上就看完了。

问：男的在做什么？

      A 洗澡             B 吃饭             C 看电视 √

16.   A 叫"方朋"        B 在商店买衣服      C 在洗衣店换衣服

17.   A 回公司            B 给老周带东西      C 开车

18.   A 司机             B 服务员           C 过去的同事

19.   A 今天是他生日    B 没开车来        C 想喝点儿酒

20.   A 太阳咖啡店     B 西西蛋糕店     C 西西咖啡店

# 二、阅读 Reading

## 第一部分 Part I

第 21-25 题：选择合适的问答

Questions 21-25: Match the two parts of the same dialogue.

A 你下班有时间吗？能跟我聊聊吗？

B 这是谁的照片？让我也看看吧。

C 是她，刚进来就出去了，很着急。

D 咖啡和牛奶都买回来了吗？

E 当然。我们先坐公共汽车，然后换地铁。

F 都快到家了，车坏了，所以我走回来了。

例如：你知道怎么去那儿吗？　　　　　　　　( E )

21. 刚才走出去的那个人是谁？是笑笑吗？　　( 　 )

22. 你怎么走回来了？你的车呢？　　　　　　( 　 )

23. 牛奶都卖完了，我只买回来一些咖啡。　　( 　 )

24. 是小李女儿的照片，你坐过来一点儿，我们一起看。　( 　 )

25. 好啊，去公司楼下的咖啡店吧，边喝边聊。　( 　 )

## 第二部分 Part II

第 26-30 题：选择合适的词语填空

Questions 26-30: Choose the proper words to fill in the brackets.

　　　　A 爷爷　　B 礼物　　C 过去　　D 一般　　E 声音　　F 经常

例如：她说话的（ E ）多好听啊！

26. 爸爸妈妈在饭馆等我们呢，我们快（ 　 ）吧。

27. 这是我为你买的生日（ 　 ），你打开看看，喜欢不喜欢？

28. 我（ 　 ）今年快九十岁了，身体特别好，他走路比我都快。

29. A：这几天我眼睛看东西不太清楚。

　　B：你应该（ 　 ）出去走走，看看远方的绿树，别总坐在电脑前。

30. A：只有你一个人吃晚饭吗？你丈夫呢？

　　B：我丈夫（ 　 ）八点半才回来，所以不在家吃。

## 第三部分　Part III

第31–35题：选择正确答案

Questions 31-35: Choose the right answers.

例如：您是来参加今天会议的吗？您来早了一点儿，现在才八点半。您先进来坐吧。

　　★ 会议最可能几点开始？

　　　　A　8点　　　　　　　B　8点半　　　　　　C　9点 ✓

31. 我最大的兴趣是看书。没事的时候，经常找一个安静的地方，静静地坐下来边喝茶边读书。看累了的时候，站起来看看远方的绿树，或者运动一下。这就是我最大的快乐。

　　★ 我喜欢：

　　　　A　坐下来看远方　　　B　站起来看书　　　　C　坐下来读书

32. 你们看，这就是我家的小狗，花花。它经常跑出去帮我拿今天的报纸，还能帮我照顾女儿，跟她玩儿。最有意思的是它可以站起来走路，还能边走边叫。花花这么聪明，大家都喜欢它。

　　★ 花花：

　　　　A　能站着走路　　　　B　不会站着　　　　　C　总是跑出去玩儿

33. 昨天我一天都没带手机，回到家看见有8个电话，都是姐姐打过来的。我突然想到：姐姐今天要飞回美国去，她一定是想在上飞机前跟我说会儿话。等我给她打回去的时候，姐姐已经关机了。

　　★ 我：

　　　　A　忘了带手机　　　　B　不想接姐姐的电话　　C　给姐姐打了8个电话

34. 中国人常说"一心不可二用"，意思是做这件事的时候不要同时做那件事。我女儿一点儿也不这么想，她经常一心多用，回到家总是边听音乐边吃苹果边看书。这样学习，能知道书上说的是什么吗？

　　★ 女儿经常：

　　　　A　同时做很多事　　　B　学习　　　　　　　C　只做一件事

35. 我丈夫这次出国给每个家人都带回来一件礼物。我爸爸是一瓶好酒，我妈妈是一件漂亮的衣服，给我的礼物是画。因为我最喜欢画画儿，所以我觉得这是他带回来的最特别的礼物。

　　★ 丈夫给我带回来：

　　　　A　三件礼物　　　　　B　一件衣服　　　　　C　一件特别的礼物

# 三、书写 Writing

## 第一部分 Part I

第 36-40 题：连词成句

Questions 36-40: Rearrange the words/phrases to make sentences.

例如：小船　　上　　一　　河　　条　　有

　　　河上有一条小船。

36. 一边　　聊天儿　　走路　　我们　　一边

37. 出去　　跑　　谁　　刚才　　了

38. 别　　开车　　一边　　打电话　　请　　一边

39. 就要　　过　　开　　火车　　来　　了

40. 同学们　　走　　教室　　去　　出　　都　　了

## 第二部分 Part II

第 41-45 题：看拼音，写汉字

Questions 41-45: Write the characters based on their *pinyin*.

　　　　　　guān
例如：没（　关　）系，别难过，高兴点儿。

　　　　　　　　lǐ
41. 送给你一个小（　　）物，希望你能喜欢。

　　　　　　　　　　yù
42. 你知道我在回来的路上（　　）到谁了吗？

　　　　　　　　　　　　　yuàn
43. 在家吃吧，我忙了一天刚回来，不（　　）意再出去了。

　　　　　gāi
44. 你应（　　）该多走出去运动，少在家看电视。

　　　　　　　　　jīng
45. 我们在一个公司上班，（　　）常见面，我对她很了解。

## 第三部分　Part Ⅲ

第46-50题：辨认汉字，选择正确的汉字填空

Questions 46-50: Distinguish the characters and fill in the blanks.

例如：我不知道 ___那___ 个地方在 ___哪___ 儿。（那、哪）

46. 我忘了给妻子买礼_____，只好在机_____买一个。（场、物）

47. 别总坐着，站_____来出去走走，去_____市买点儿东西回来。（超、起）

48. 年_____人工作到下午三四点的时候_____常有点儿饿，这个时候可以吃点儿水果。
（轻、经）

49. 医生，我应_____什么时候给_____子吃药？饭前还是饭后？（孩、该）

50. 这是我们公司的新车，对_____境很好，也不容易_____。（坏、环）

## 第四部分　Part Ⅳ

第51-54题：用下边的汉字组词

Questions 51-54: Make words using the following characters.

例如：找 ___找人___ 、 ___找到___

51. 花 _____ 、 _____　　53. 意 _____ 、 _____

52. 客 _____ 、 _____　　54. 帮 _____ 、 _____

# 四、复习　Review

第1-2题：根据课文内容填空

Questions 1-2: Fill in the blanks based on the texts in the textbook.

1. 小刚_____回来了，还买回来很多东西。他给_____买了一瓶红酒，明天他
和小丽一起_____。小丽问小刚给她买什么了，小丽让小刚快点儿_____，
小刚说他自己就是最好的_____。

2. 小丽_____很少去电影院看电影，她更_____在家看电视，因为可以
吃_____看，坐久了还可以_____休息一会儿。同事觉得小丽_____多
出去走走，这样生活更有意思。

# 14

Ní bǎ shuǐguǒ ná guolai

## 你把水果拿过来

**Please bring the fruit here**

### 一、听力　Listening  14

#### 第一部分　Part I

第1-5题：听对话，选择与对话内容一致的图片

Questions 1-5: Choose the right picture for each dialogue you hear.

A 　　B

C 　　D

E 　　F

例如：男：喂，请问张经理在吗？

女：他正在开会，您半个小时以后再打，好吗？　 D

1. ☐

2. ☐

3. ☐

4. ☐

5. ☐

## 第二部分　Part II

第 6-10 题：听句子，判断对错

Questions 6-10: Decide whether the statements are true or false based on the sentences you hear.

例如：为了让自己更健康，他每天都花一个小时去锻炼身体。

　　★ 他希望自己很健康。　　　　　　　　　　　　　（　√　）

今天我想早点儿回家。看了看手表，才 5 点。过了一会儿再看表，还是 5 点，我这才发现我的手表不走了。

　　★ 那块儿手表不是他的。　　　　　　　　　　　（　×　）

6.　★ 他今天坐地铁去上课。　　　　　　　　　　　（　　）

7.　★ 常阿姨的声音很大。　　　　　　　　　　　　（　　）

8.　★ 方叔叔喜欢做饭。　　　　　　　　　　　　　（　　）

9.　★ 小周回家以前要打扫办公室。　　　　　　　　（　　）

10.　★ 去方叔叔家时，我要带很多东西去。　　　　（　　）

## 第三部分　Part III

第 11-15 题：听短对话，选择正确答案

Questions 11-15: Listen to the short dialogues and choose the right answers.

例如：男：小王，帮我开一下门，好吗？谢谢！

　　　女：没问题。您去超市了？买了这么多东西。

　　　问：男的想让小王做什么？

　　　　　A　开门 √　　　　B　拿东西　　　　C　去超市买东西

11.　A　不新鲜　　　　　B　太贵了　　　　　C　很新鲜

12.　A　画了很长时间　　B　画得很像　　　　C　画得不好看

13.　A　以前像妈妈　　　B　以前像爸爸　　　C　现在像妈妈

14.　A　词典在哪儿　　　B　这个字怎么写　　C　这个字怎么读

15.　A　洗盘子　　　　　B　看节目　　　　　C　把声音开大

## 第四部分　Part IV

第 16–20 题：听长对话，选择正确答案

Questions 16-20: Listen to the dialogues and choose the right answers.

例如：女：晚饭做好了，准备吃饭了。

　　　男：等一会儿，比赛还有三分钟就结束了。

　　　女：快点儿吧，一起吃，菜冷了就不好吃了。

　　　男：你先吃，我马上就看完了。

　　　问：男的在做什么？

　　　　　A　洗澡　　　　　　B　吃饭　　　　　C　看电视 √

16.　A　洗盘子　　　　　　B　买水果　　　　　C　下楼

17.　A　开车　　　　　　　B　买伞　　　　　　C　跑步

18.　A　把电视声音关小　　B　把房间打扫干净　C　过来看电视节目

19.　A　看房子　　　　　　B　买桌椅　　　　　C　找饭馆

20.　A　爸爸回来了　　　　B　她要唱歌　　　　C　她想安静一会儿

# 二、阅读 Reading

## 第一部分 Part I

第21-25题：选择合适的问答

Questions 21-25: Match the two parts of the same dialogue.

A 好的，周经理，我已经把名单准备好了。

B 老师，这个故事要写多少个字？

C 你送完孩子就来办公室吗？

D 先放牛奶，1分钟以后再放鸡蛋。

E 当然。我们先坐公共汽车，然后换地铁。

F 爸爸，下午你来接我吧。

例如：你知道怎么去那儿吗？ （ E ）

21. 我先送孩子，再把衣服送到洗衣店，然后去上班。 （ ）

22. 这个菜怎么做？先放鸡蛋再放牛奶吗？ （ ）

23. 好，我先去公司接你妈妈，然后到学校接你。 （ ）

24. 请同学们用黑板上的这10个词写一个小故事。 （ ）

25. 小刚，明天都有谁参加会议？你把名单拿过来。 （ ）

## 第二部分 Part II

第26-30题：选择合适的词语填空

Questions 26-30: Choose the proper words to fill in the brackets.

A 打扫　　B 然后　　C 节目　　D 简单　　E 声音　　F 洗澡

例如：她说话的（ E ）多好听啊！

26. 游泳以前应该先吃点儿饭，（ ）休息半个小时。

27. 小丽，会议室（ ）干净了吗？别忘了把椅子放回去。

28. 天气这么热，回家以后你先（ ）吧。

29. A：小丽，我的包找不到了，你过来帮我找找。

　　B：我看完了这个（ ）就过去帮你。

30. A：你做的这个菜真好吃，你是怎么做的？

　　B：很（ ），先把羊肉放进去，再放些牛奶和菜，等半个小时就做好了。

## 第三部分　Part Ⅲ

第 31–35 题：选择正确答案
Questions 31-35: Choose the right answers.

例如：您是来参加今天会议的吗？您来早了一点儿，现在才八点半。您先进来坐吧。

　　★ 会议最可能几点开始?

　　A　8点　　　　　　　B　8点半　　　　　　C　9点 √

31. 小时候，每年 12 月 25 号那天早上，我都能看到床上放着一件礼物。妈妈告诉我，那是前一天晚上一个穿红衣服的老爷爷把礼物送来的。现在我懂了：其实妈妈就是那个老人，是她在我睡着的时候把礼物放在我床上的。

　　★ 我现在明白，礼物：

　　A　是妈妈送来的　　B　是老爷爷送来的　　C　是我爷爷送来的

32. 有很多人问什么时候吃水果比较健康，在今天的《健康 123》节目里，我来告诉大家怎么吃水果对身体最好。其实，上午吃水果最健康，晚饭后和睡觉前最好不要吃。吃水果的时间应该在饭前 1 到 2 小时。当然，一定要把水果洗干净再吃。

　　★ 什么时候吃水果最好?

　　A　午饭前 1-2 小时　　B　晚饭后 1-2 小时　　C　睡觉前 1-2 小时

33. 你一定喝过茶，也吃过水果。但你喝过水果茶吗？自己做过水果茶吗？自己做的比外边买的健康得多。其实做水果茶很简单，先把茶放进杯子，再放一些热水，然后把小块儿水果放进去，等一会儿就能喝了。

　　★ 做水果茶：

　　A　不容易　　　　　B　比外边买的健康　　C　要用大块水果

34. 今天真把我累坏了。我们说好了今天搬家，没想到丈夫突然有事出国。新家在四楼，我只好打电话给搬家公司，请他们把桌椅、电视、电脑都搬上去。等他们走了，我又一个人把每个房间都打扫干净。看了看表，已经晚上 9 点了。

　　★ 今天搬家，我：

　　A　请搬家公司帮忙　　B　没打扫房间　　C　给丈夫打电话帮忙

35. 方阿姨的丈夫每天回家都做一样的事：先吃饭，再洗澡，然后从冰箱里拿出一瓶酒，坐在电视前，边看节目边喝。他说，这样的生活是最舒服的。但是方阿姨说，这样的生活是最累的，因为她要把饭做好，还要把杯子、盘子和衣服都洗干净。

★ 方阿姨每天：

    A　都要喝点儿酒　　　　　B　到了家就吃饭　　　　　C　做饭、洗盘子和杯子

# 三、书写　Writing

## 第一部分　Part Ⅰ

第 36-40 题：连词成句

Questions 36-40: Rearrange the words/phrases to make sentences.

例如：小船　　上　　一　　河　　条　　有

<u>河上有一条小船。</u>

36. 把　　大家　　请　　书　　出来　　拿

37. 写　　名字　　然后　　应该　　先　　做题

38. 干净　　把　　房间　　快　　打扫

39. 再　　教　　读音　　先　　汉字　　教　　老师

40. 可以　　你　　小　　关　　一点儿　　电视声音　　把　　吗

## 第二部分　Part Ⅱ

第 41-45 题：看拼音，写汉字

Questions 41-45: Write the characters based on their *pinyin*.

          guān

例如：没（　关　）系，别难过，高兴点儿。

            jìng

41. 你把房间打扫得真干（　　）！

          bīng

42. 水果就在（　　）箱里，你把它们都拿出来吧。

43. 你先去洗个（　zǎo　），然后出来吃饭。

44. 外边在刮大（　fēng　），我们别出去了，在家看电视吧。

45. 其实，做饭很（　jiǎn　）单，主要是要有兴趣。

## 第三部分　Part Ⅲ

第46-50题：辨认汉字，选择正确的汉字填空
Questions 46-50: Distinguish the characters and fill in the blanks.

例如：我不知道 ___那___ 个地方在 ___哪___ 儿。（那、哪）

46. 忙了一天，终_____把房间都打扫_____净了！（干、于）

47. 你们听，白_____姨唱歌的声音多好听_____！（啊、阿）

48. 姐姐，你_____完作业以后给我讲一个_____事吧。（做、故）

49. 夏天游完_____以后，再喝一杯_____水，特别舒服。（冰、泳）

50. 妈妈你看，月_____在那么_____的地方，我们能上去看看吗？（亮、高）

## 四、复习　Review

第1-2题：根据课文内容填空
Questions 1-2: Fill in the blanks based on the texts in the textbook.

1. 客人就要来了，周明让孩子们把房间_____。周太太让他把茶和杯子_____，然后把_____里的西瓜_____。周明觉得太热了，他要先把空调_____。

2. 今晚的月亮很漂亮，外边也不_____，小明和同学打算一边吃东西一边听叔叔阿姨讲_____。他们_____把桌椅搬出去，_____把水果拿过来。小明的同学听见外边有_____，一定是大山来了。

# 15

Qítā    dōu méi shénme  wèntí
## 其他都没什么问题
### The rest of them are all OK

## 一、听力  Listening   15

### 第一部分  Part I

第1-5题：听对话，选择与对话内容一致的图片

Questions 1-5: Choose the right picture for each dialogue you hear.

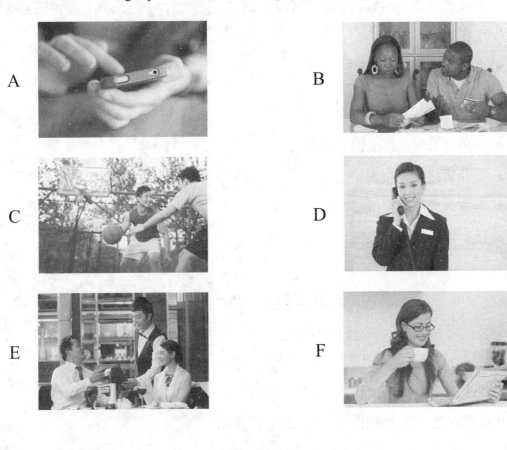

例如：男：喂，请问张经理在吗？

女：他正在开会，您半个小时以后再打，好吗？　　　　D

1. ☐

2. ☐

3. ☐

4. ☐

5. ☐

## 第二部分　Part II

第 6-10 题：听句子，判断对错

Questions 6-10: Decide whether the statements are true or false based on the sentences you hear.

例如：为了让自己更健康，他每天都花一个小时去锻炼身体。

　　★ 他希望自己很健康。　　　　　　　　　　　　（ √ ）

今天我想早点儿回家。看了看手表，才 5 点。过了一会儿再看表，还是 5 点，我这才发现我的手表不走了。

　　★ 那块儿手表不是他的。　　　　　　　　　　　（ × ）

6.　★ 叔叔希望我花钱买本书。　　　　　　　　　　（　　）

7.　★ 弟弟每天晚上都上网看新闻。　　　　　　　　（　　）

8.　★ 女儿边留学边在饭馆工作。　　　　　　　　　（　　）

9.　★ 老方每天都看报纸。　　　　　　　　　　　　（　　）

10.　★ 他们以后能经常见面。　　　　　　　　　　　（　　）

## 第三部分　Part III

第 11-15 题：听短对话，选择正确答案

Questions 11-15: Listen to the short dialogues and choose the right answers.

例如：男：小王，帮我开一下门，好吗？谢谢！

　　　女：没问题。您去超市了？买了这么多东西。

　　　问：男的想让小王做什么？

　　　　　A 开门 √　　　　　B 拿东西　　　　　C 去超市买东西

11.　A 环境不好　　　　B 商店很远　　　　C 夏天很热

12.　A 裤子　　　　　　B 裙子　　　　　　C 衬衫

13.　A 有电梯的　　　　B 没电梯的　　　　C 安静的

14.　A 不认真　　　　　B 特别漂亮　　　　C 特别慢

15.　A 男的　　　　　　B 自己　　　　　　C 穿得漂亮的人

## 第四部分　Part Ⅳ

第 16-20 题：听长对话，选择正确答案

Questions 16-20: Listen to the dialogues and choose the right answers.

例如：女：晚饭做好了，准备吃饭了。

男：等一会儿，比赛还有三分钟就结束了。

女：快点儿吧，一起吃，菜冷了就不好吃了。

男：你先吃，我马上就看完了。

问：男的在做什么？

　　　　A　洗澡　　　　　B　吃饭　　　　　C　看电视 √

16.　A　喜欢夏天　　　　B　不喜欢热　　　　C　四个季节都喜欢

17.　A　环境不错　　　　B　不太安静　　　　C　不太干净

18.　A　颜色不好　　　　B　不便宜　　　　　C　太大了

19.　A　不能打电话　　　B　没有声音　　　　C　不能上网

20.　A　喝水　　　　　　B　上网　　　　　　C　打电话

# 二、阅读 Reading

## 第一部分 Part I

第 21–25 题：选择合适的问答

Questions 21-25: Match the two parts of the same dialogue.

A 参加会议的人都到了吗？

B 没什么有意思的，我们上网看个电影吧。

C 请问，这两个手机有什么不一样吗？

D 除了半个西瓜以外，没有其他水果了。

E 当然。我们先坐公共汽车，然后换地铁。

F 我想提高汉语水平，应该做些什么呢？

例如：你知道怎么去那儿吗？ ( E )

21. 你要多听、多说，还要多跟中国朋友练习。 ( )

22. 冰箱里还有什么水果吗？ ( )

23. 这个黑色的手机字比较大，红色的小一些。 ( )

24. 除了常笑以外，大家都到了。 ( )

25. 电视上有什么好看的节目吗？ ( )

## 第二部分 Part II

第 26–30 题：选择合适的词语填空

Questions 26-30: Choose the proper words to fill in the brackets.

A 上网　　B 练习　　C 完成　　D 节日　　E 声音　　F 世界

例如：她说话的（ E ）多好听啊！

26. 这个（ 　　）上课的时候我们已经做过了，不用再做了。

27. 孩子们最喜欢这个（ 　　），因为不用去上课，还能吃到好吃的。

28. （ 　　）可以发电子邮件，可以看节目，还可以买东西，真方便。

29. A：六点半了，你还不回家？

　　B：今天的工作还没（ 　　），我晚一点儿再回去。

30. A：这是一张（ 　　）地图，请大家找找中国在哪儿。

　　B：老师，我找到了。

## 第三部分　Part Ⅲ

第 31-35 题：选择正确答案

Questions 31-35: Choose the right answers.

例如：您是来参加今天会议的吗？您来早了一点儿，现在才八点半。您先进来坐吧。

　　★ 会议最可能几点开始？

　　A　8点　　　　　　B　8点半　　　　　　C　9点 √

31. 以前的手机只能打电话，现在除了打电话以外，还能上网。世界上有什么新闻，马上就能知道。在没有电脑的地方，想给朋友发电子邮件，也能用手机，方便极了！

　　★ 以前的手机可以做什么？

　　A　发电子邮件　　　　B　上网　　　　　　C　打电话

32. 我在中国留学了三年，除了提高了汉语水平以外，还了解了中国和世界文化。我们班除了老师，其他人都不是中国人，大家来自世界各地。上课和课间休息的时候，大家都用汉语聊天儿，介绍自己的文化，有意思极了。

　　★ 在中国留学：

　　A　老师不是中国人　　B　可以了解各地文化　　C　不能提高汉语水平

33. 从下个月 1 号开始，这个地方要举行世界电影文化周，在文化周上，除了可以看到世界各地最新的电影，还有人为大家介绍各地的电影文化。一周七天，天天不同。对电影和电影文化感兴趣的朋友们，一定要去看看。

　　★ 关于世界电影文化周，可以知道什么？

　　A　从 1 号到 10 号　　B　有最新的电影　　　C　没有电影介绍

34. 春节是中国最重要的节日，这一节日在中国有很长的历史了。春节那天，大家都要在家里和家人一起做饭吃。近年来，除了在家吃饭以外，有些人也去饭馆吃饭，他们说这样更方便，还可以吃到在家不容易做的菜。

　　★ 关于春节，可以知道什么？

　　A　一定要在家吃饭　　B　是世界上最重要的节日　C　历史很长

35. 过去这儿有很多矮小的旧房子，但是这几年都不见了。现在，我们眼前除了高楼以外，还有干净的街道和漂亮的花园，这个地方的变化真是大极了。

   ★ 这个地方现在：

   A 有不少老房子　　　　B 街道很干净　　　　C 没有什么变化

# 三、书写 Writing

## 第一部分 Part I

第 36-40 题：连词成句

Questions 36-40: Rearrange the words/phrases to make sentences.

例如：小船　　上　　一　　河　　条　　有

　　　　河上有一条小船。

36. 笑笑　　以外　　除了　　别人　　都　　来了

37. 这个地方　　极了　　街道　　干净　　的

38. 历史　　文化　　除了　　还　　我　　以外　　喜欢

39. 什么　　有　　好看　　电影院　　电影　　吗　　的

40. 游泳　　除了　　我　　爬山　　愿意　　也

## 第二部分 Part II

第 41-45 题：看拼音，写汉字

Questions 41-45: Write the characters based on their *pinyin*.

　　　　　　guān
例如：没（ 关 ）系，别难过，高兴点儿。

　　　　　　　　　tí
41. 马可，你的汉语水平（　　）高了不少，老师真为你高兴！

　　　　　　　jù
42. 方朋，这个（　　）子是什么意思？我没看明白。

43. 周经理，以后有什么问题，我可以给您（　　fā　　）邮件吗？

44. 快把电视打开，新（　　wén　　）开始了。

45. 你看，（　　jiē　　）道两边都是树，一点儿也不觉得热。

## 第三部分　Part Ⅲ

第46—50题：辨认汉字，选择正确的汉字填空

Questions 46-50: Distinguish the characters and fill in the blanks.

例如：我不知道　那　个地方在　哪　儿。（那、哪）

46. 你每天除了＿＿＿＿习汉语以外，也要锻＿＿＿＿身体。（炼、练）

47. 大家都过来，我说一下这次篮＿＿＿＿比赛的要＿＿＿＿！（求、球）

48. 外边开始刮＿＿＿＿了，别出去踢球了，在家上会儿＿＿＿＿吧。（网、风）

49. 在这个重要的节＿＿＿＿里，有很多歌舞节＿＿＿＿。（目、日）

50. 弟弟除了喜欢中国文化以外，＿＿＿＿对＿＿＿＿界文化很感兴趣。（也、世）

# 四、复习　Review

第1—2题：根据课文内容填空

Questions 1-2: Fill in the blanks based on the texts in the textbook.

1. 大山来中国＿＿＿＿＿＿两年了，他觉得自己的汉语＿＿＿＿＿＿提高得一点儿也不快。昨天的作业，老师觉得他写得不错，＿＿＿＿＿＿一个句子意思有些不清楚＿＿＿＿＿＿，＿＿＿＿＿＿都没什么问题。

2. 现在用电脑＿＿＿＿＿＿真方便。除了看＿＿＿＿＿＿，人们＿＿＿＿＿＿可以听歌、看电影、买东西。小刚在网上买了一件衣服，有点儿小，给他弟弟了。不用＿＿＿＿＿＿，还有新衣服穿，弟弟满意＿＿＿＿＿＿。

# 16

Wǒ xiànzài lèi de xiàle bān jiù xiǎng shuì jiào

## 我现在累得下了班就想睡觉

**I am so tired that I want to do nothing but sleep after work**

---

## 一、听力　Listening　 16

### 第一部分　Part I

第1-5题：听对话，选择与对话内容一致的图片

Questions 1-5: Choose the right picture for each dialogue you hear.

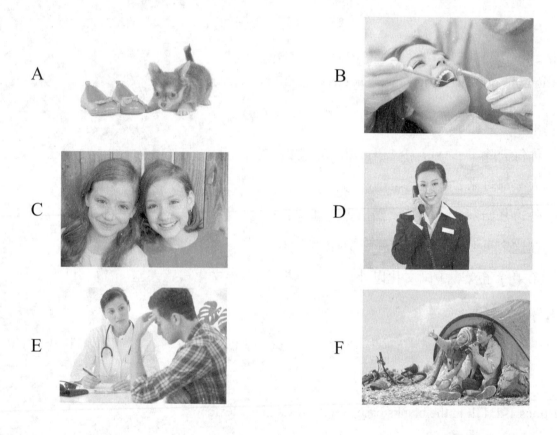

A　　　　　　　　　　　B

C　　　　　　　　　　　D

E　　　　　　　　　　　F

例如：男：喂，请问张经理在吗？

　　　女：他正在开会，您半个小时以后再打，好吗？　　　　　　D

1.　　　　　　　　　　　☐

2.　　　　　　　　　　　☐

3.　　　　　　　　　　　☐

4.　　　　　　　　　　　☐

5.　　　　　　　　　　　☐

## 第二部分　Part Ⅱ

第6-10题：听句子，判断对错

Questions 6-10: Decide whether the statements are true or false based on the sentences you hear.

例如：为了让自己更健康，他每天都花一个小时去锻炼身体。

　　　★ 他希望自己很健康。　　　　　　　　　　　　（ √ ）

　　　今天我想早点儿回家。看了看手表，才5点。过了一会儿再看表，还是5点，我这才发现我的手表不走了。

　　　★ 那块儿手表不是他的。　　　　　　　　　　　（ × ）

6.　★ 他不知道常月现在变胖了还是变瘦了。　　　　（ 　 ）

7.　★ 小丽没听明白自己的工作是什么。　　　　　　（ 　 ）

8.　★ 女儿喜欢新衣服和新鞋。　　　　　　　　　　（ 　 ）

9.　★ 儿子没让我买东西给他。　　　　　　　　　　（ 　 ）

10.　★ 每个星期五老师都送给每个学生一件礼物。　　（ 　 ）

## 第三部分　Part Ⅲ

第11-15题：听短对话，选择正确答案

Questions 11-15: Listen to the short dialogues and choose the right answers.

例如：男：小王，帮我开一下门，好吗？谢谢！

　　　女：没问题。您去超市了？买了这么多东西。

　　　问：男的想让小王做什么？

　　　　　A　开门 √　　　　　B　拿东西　　　　　C　去超市买东西

11.　A　眼睛红　　　　　B　打算去医院　　　　C　买了一个红眼镜

12.　A　明天天气好　　　B　太阳能从西边出来　C　认为男的不可能去跑步

13.　A　女儿　　　　　　B　妈妈　　　　　　　C　奶奶

14.　A　中午吃过药了　　B　现在要去医院　　　C　现在能吃甜的

15.　A　老高　　　　　　B　高山　　　　　　　C　高静

## 第四部分　Part Ⅳ

第 16–20 题：听长对话，选择正确答案

Questions 16-20: Listen to the dialogues and choose the right answers.

例如：女：晚饭做好了，准备吃饭了。

男：等一会儿，比赛还有三分钟就结束了。

女：快点儿吧，一起吃，菜冷了就不好吃了。

男：你先吃，我马上就看完了。

问：男的在做什么？

       A　洗澡　　　　　　B　吃饭　　　　　　C　看电视 √

16.　A　一直工作　　　　B　坐错车了　　　　C　坐过站了

17.　A　不认识男的　　　B　变瘦了　　　　　C　没想到男的这么瘦

18.　A　不太胖　　　　　B　大眼睛　　　　　C　小鼻子

19.　A　热牛奶　　　　　B　冰可乐　　　　　C　热水

20.　A　有地铁　　　　　B　人很好　　　　　C　不太安静

# 二、阅读 Reading

## 第一部分 Part I

第 21–25 题：选择合适的问答

Questions 21-25: Match the two parts of the same dialogue.

A 你的鼻子红红的？怎么了？

B 我的牙有点儿疼，您帮我看看吧。

C 不到 200 米了，我们要不要先休息一下？

D 我们给小方的孩子买皮鞋还是买帽子？

E 当然。我们先坐公共汽车，然后换地铁。

F 他是我们学校的校长，姓周。

例如：你知道怎么去那儿吗？ ( E )

21. 还有多远？我累得一步也不想走了。 ( )

22. 她儿子只有两个月大，不用穿皮鞋，买个小帽子吧。 ( )

23. 好，你坐这边吧，我给你检查一下。 ( )

24. 前边那个高高的、瘦瘦的老人是谁？ ( )

25. 没事，可能是外边太冷了，还刮大风。 ( )

## 第二部分 Part II

第 26–30 题：选择合适的词语填空

Questions 26-30: Choose the proper words to fill in the brackets.

A 城市　　B 头发　　C 鼻子　　D 认为　　E 声音　　F 关系

例如：她说话的（ E ）多好听啊！

26. 我感冒了，（ ）不舒服。

27. 我（ ）现在上网看新闻比以前方便多了。

28. 今天洗澡的时候我发现我的（ ）长了不少。

29. A：我看你和新来的小丽每天下班都一起走。

　　B：是，我们以前就是同学，（ ）一直很好。

30. A：最近工作太累了，我真想好好儿休息一下。

　　B：那你去别的（ ）玩儿玩儿吧。

## 第三部分　Part Ⅲ

第 31-35 题：选择正确答案
Questions 31-35: Choose the right answers.

例如：您是来参加今天会议的吗？您来早了一点儿，现在才八点半。您先进来坐吧。

★ 会议最可能几点开始？

　　A　8点　　　　　　　B　8点半　　　　　　C　9点　√

31. 您有体检的习惯吗？很多人都认为体检没那么重要，觉得自己身体很健康。其实，我们应该每年做一次体检，这样可以让自己放心，也让家人放心。如果有什么病，也可以早点儿知道早点儿看。

★ 关于体检，可以知道什么？

　　A　不太重要　　　　　B　应该每年一次　　　C　没病的人不用体检

32. 我是新兴饭店的经理，我和我的服务员很高兴为您服务。如果您对我们的服务很满意，就请您告诉您的朋友；如果您对我们的服务不满意，就请您告诉我们。新兴饭店祝您生活、工作事事开心。

★ 如果认为这家饭店的饭菜不错，我们可以：

　　A　告诉大家　　　　　B　告诉饭店　　　　　C　来这儿工作

33. 我爸妈都是北方人，但是我从小跟爷爷奶奶在南方长大，一直没见过雪。去年搬回北京后，虽然这儿的冬天很冷，我还不太习惯，但是我终于第一次见到了雪，雪花白白的，特别漂亮，我高兴得在雪地里玩儿了一天，如果每天都能看到雪，那就太好了。

★ 我：

　　A　没见过雪　　　　　B　每天都能看到雪　　C　喜欢雪

34. 我们每天都刷牙，但你知道怎么刷牙吗？你的牙健康吗？牙医告诉我们，刷牙应该每天刷三次，每次最少要刷三分钟，这样才能把牙刷干净。还有，每年应该最少检查一次牙，如果牙不舒服，就要马上去医院。

★ 根据这段话，可以知道什么？

　　A　刷牙的时间越长越好　B　每天刷两次牙就可以　C　每年都要去医院检查牙

35. 去年，我丈夫自己开了个公司，每天忙得都没有时间吃饭，好几次都累得一句话也不想说，到了家就睡觉，我真担心他累坏了。今天晚上丈夫回来后，我打算告诉他：下个月不工作，一起出去旅游，到一个安静的城市去好好儿休息一下。

★ 我丈夫：

A  工作特别忙　　　B  不喜欢说话　　　C  下个月搬家

# 三、书写　Writing

## 第一部分　Part I

第 36–40 题：连词成句

Questions 36-40: Rearrange the words/phrases to make sentences.

例如：小船　　上　　一　　河　　条　　有

河上有一条小船。_____

36. 跳　起来　高兴　弟弟　得　了

37. 大　大　小狗　的　的　眼睛

38. 玩儿　天气　就　我们　明天　公园　去　好

39. 走路　不能　疼　腿　得　我的

40. 甜　的　甜　水果店　的　西瓜

## 第二部分　Part II

第 41–45 题：看拼音，写汉字

Questions 41-45: Write the characters based on their *pinyin*.

guān
例如：没（ 关 ）系，别难过，高兴点儿。

chéng
41. 这个（　　）市的街道非常干净，路边有很多树。

pí
42. 妻子知道我明天参加面试，为我买了一双新（　　）鞋。

43. 弟弟的眼睛大大的，( bí ) 子高高的，可爱极了。

44. 爷爷已经 80 岁了，每年都要去做一次健康( jiǎn )查。

45. 你吃了那么多甜东西，快去把( yá )刷干净。

## 第三部分　Part Ⅲ

第 46–50 题：辨认汉字，选择正确的汉字填空
Questions 46-50: Distinguish the characters and fill in the blanks.

例如：我不知道__那__个地方在__哪__儿。（那、哪）

46. 小丽每天早上都要先去公园跑两千_____，再_____公司上班。（米、来）

47. 周秘书，_____果白小_____回来了，请你让她给我打个电话。（姐、如）

48. 这儿附_____有个超市，我们进去买几_____水果吧。（斤、近）

49. 医生检_____完我的牙后，让我少吃些_____蕉、蛋糕这样甜的东西。（查、香）

50. 天气越来越冷，我怕你感_____，所以给你买了个_____子。（帽、冒）

## 四、复习　Review

第 1-2 题：根据课文内容填空
Questions 1-2: Fill in the blanks based on the texts in the textbook.

1. 小丽认为一个人不能总住在同一个_____，应该去其他地方看看。周经理年轻时也这么想，_____那时候有钱，他_____去旅游了。现在钱不是问题了，但是他忙得_____，_____下了班就想睡觉。

2. 小丽同事的女儿胖胖的，_____，很可爱，现在已经 25_____，快 1 米了。她鼻子小小的，_____黑黑的，长得像爸爸。刚出生时同事的丈夫_____一个晚上都没睡着。小丽给她的女儿买了两件礼物：小_____和小帽子，都很漂亮。

# 17

Shéi dōu yǒu bànfǎ kànhǎo nǐ de "bìng"

# 谁都有办法看好你的"病"

**Everybody is able to cure your "disease"**

## 一、听力 Listening  17

### 第一部分 Part I

第 1–5 题：听对话，选择与对话内容一致的图片

Questions 1-5: Choose the right picture for each dialogue you hear.

A

B

C

D

E

F

例如：男：喂，请问张经理在吗？

女：他正在开会，您半个小时以后再打，好吗？  | D |

1. | |

2. | |

3. | |

4. | |

5. | |

## 第二部分　Part II

第 6-10 题：听句子，判断对错

Questions 6-10: Decide whether the statements are true or false based on the sentences you hear.

例如：为了让自己更健康，他每天都花一个小时去锻炼身体。

　　　★ 他希望自己很健康。　　　　　　　　　　　　　（　√　）

　　　今天我想早点儿回家。看了看手表，才 5 点。过了一会儿再看表，还是 5 点，我这才发现我的手表不走了。

　　　★ 那块儿手表不是他的。　　　　　　　　　　　　（　×　）

6.　　★ 明天早上有一个重要的会议。　　　　　　　　（　　　）

7.　　★ 那家药店晚上不能买药。　　　　　　　　　　（　　　）

8.　　★ 有问题时，我们应该自己想办法。　　　　　　（　　　）

9.　　★ 汉字比赛时写什么都可以。　　　　　　　　　（　　　）

10.　　★ 有三个同学要介绍自己。　　　　　　　　　　（　　　）

## 第三部分　Part III

第 11-15 题：听短对话，选择正确答案

Questions 11-15: Listen to the short dialogues and choose the right answers.

例如：男：小王，帮我开一下门，好吗？谢谢！

　　　女：没问题。您去超市了？买了这么多东西。

　　　问：男的想让小王做什么？

　　　　　A 开门√　　　　　B 拿东西　　　　　C 去超市买东西

11.　　A 两瓶牛奶　　　　B 一条鱼　　　　　C 什么都没买

12.　　A 口渴　　　　　　B 什么都不想喝　　C 不想喝冰水

13.　　A 国外　　　　　　B 很多城市　　　　C 什么地方都没去

14.　　A 觉得考试不容易　B 写得很慢　　　　C 题都检查过了

15.　　A 经理和秘书　　　B 医生和病人　　　C 丈夫和妻子

## 第四部分　Part Ⅳ

第 16-20 题：听长对话，选择正确答案
Questions 16-20: Listen to the dialogues and choose the right answers.

例如：女：晚饭做好了，准备吃饭了。

男：等一会儿，比赛还有三分钟就结束了。

女：快点儿吧，一起吃，菜冷了就不好吃了。

男：你先吃，我马上就看完了。

问：男的在做什么？

|  | A 洗澡 | B 吃饭 | C 看电视 √ |
|---|---|---|---|

16. A 经常不来上课　　B 什么都听得懂　　C 没请过假

17. A 天气很好　　B 喜欢新闻　　C 准备考试

18. A 想去饭馆吃　　B 不想吃牛肉　　C 什么都喜欢吃

19. A 喜欢那里的冬天　　B 不喜欢那里的学习环境　　C 不习惯那里的天气

20. A 坐着上课　　B 是老师　　C 什么地方都想去

## 二、阅读　Reading

### 第一部分　Part Ⅰ

第21-25题：选择合适的问答

Questions 21-25: Match the two parts of the same dialogue.

A　你几点来都可以，明天上午我不忙。

B　这次是我叔叔病了，我要去医院照顾他。

C　月月，你有什么爱好？喜欢音乐还是画画儿？

D　今晚吃得太饱了，吃了很多米饭，饭后还吃了三块西瓜。

E　当然。我们先坐公共汽车，然后换地铁。

F　那儿一年四季都像春天一样，哪个季节去都很舒服。

例如：你知道怎么去那儿吗？　　　　　　　　　　（　E　）

21.　周经理，明天上午您什么时候方便？　　　　　（　　）

22.　我也没少吃，我们出去走走，运动运动吧。　　（　　）

23.　什么时候去那个城市旅游比较好？　　　　　　（　　）

24.　听说你又去跟经理请假了？　　　　　　　　　（　　）

25.　我的爱好很多，对什么都很感兴趣。　　　　　（　　）

### 第二部分　Part Ⅱ

第26-30题：选择合适的词语填空

Questions 26-30: Choose the proper words to fill in the brackets.

A 办法　　B 一共　　C 决定　　D 渴　　E 声音　　F 选择

例如：她说话的（　E　）多好听啊！

26.　我（　　）找个老师，下课以后帮我练习练习汉语。

27.　不是什么时间锻炼身体都好，必须（　　）"对"的时间。

28.　我买了两双皮鞋，三条裤子，（　　）是一千块。

29.　A：你怎么总是这么瘦，你有什么好（　　）吗？

　　　B：我也不知道，其实我吃得不少。

30.　A：我太（　　）了，快把饮料给我。

　　　B：运动以后不能马上喝水，你休息一会儿再喝吧。

## 第三部分　Part Ⅲ

第 31-35 题：选择正确答案

Questions 31-35: Choose the right answers.

例如：您是来参加今天会议的吗？您来早了一点儿，现在才八点半。您先进来坐吧。

　　★ 会议最可能几点开始？

　　A　8点　　　　　　B　8点半　　　　　　C　9点 √

31. 我刚来这儿工作的时候，谁都不认识，哪儿都不了解。每天一个人上班，一个人回家，周末哪儿也不去。现在不一样了，我和公司的同事经常一起开车出去玩儿，下了班还一起去体育馆运动运动，每天都特别开心。

　　★ 我以前：

　　A　认识很多人　　　B　经常出去玩儿　　　C　对这个地方不太了解

32. 考大学时，很多学生都不知道自己要上哪个大学。他们经常看别人选什么，自己就选什么。其实，要根据自己的兴趣和爱好选择大学和学什么，谁都不能帮你做决定，因为没有人比你更了解自己。

　　★ 选择大学：

　　A　要根据兴趣　　　B　要看别人怎么做　　　C　要请爸爸妈妈决定

33. 我三岁大的女儿走到哪儿都要带着一本叫《小狗笑笑》的故事书，看见谁都要讲讲书里的故事。虽然书上的字她还不能都看懂，但是经常看着画儿讲给我听。现在，我也很喜欢笑笑，它长得可爱极了，谁见了它都喜欢。

　　★ 我女儿：

　　A　喜爱《小狗笑笑》　　B　只给妈妈讲故事　　　C　不认识字

34. 谁都知道健康很重要，怎么吃最健康呢？中国有句话叫"早吃好，午吃饱，晚吃少"。早饭后人们开始一天的学习和工作，所以一定要吃得好。一般来说，牛奶和鸡蛋是不错的选择。下午还要工作、学习，所以午饭不能少吃，要吃得饱一点儿。晚饭不是吃多少都可以，也不是几点吃都可以。因为饭后不久就要睡觉了，所以要早点儿吃，也不能多吃。

　　★ 根据这段话，可以知道：

　　A　早饭要早点儿吃　　B　吃了晚饭就应该睡觉　　C　中午一定要吃饱

35. 我爷爷是个热心人，谁的忙他都愿意帮。谁的车坏了，哪家的孩子病了，谁的狗找不到了，爷爷都过去帮忙。他常说：大家都是邻居，帮忙是应该的。如果遇到问题，没有人愿意帮忙，人和人的关系就越来越远了。

★ 爷爷：

A 遇到了问题　　　　B 经常帮别人　　　　C 不知道要帮谁

# 三、书写　Writing

## 第一部分　Part I

第 36-40 题：连词成句

Questions 36-40: Rearrange the words/phrases to make sentences.

例如：　小船　　上　　一　　河　　条　　有

河上有一条小船。

36. 去　　哪儿　　都　　妻子　　没　　过

37. 名字　　他的　　都　　谁　　知道

38. 可以　　都　　怎么　　我们　　去　　那儿

39. 喝　　什么　　现在　　妹妹　　都　　不　　想

40. 时候　　打电话　　我　　给　　什么　　你　　可以　　都

## 第二部分　Part II

第 41-45 题：看拼音，写汉字

Questions 41-45: Write the characters based on their *pinyin*.

例如：没（　关　）系，别难过，高兴点儿。
　　　　　guān

41. 经理，我想请一个星期（　　　），可以吗？
　　　　　　　　　　　　　　jià

42. 明天一（　　　）8 个人去机场，我们需要两辆车。
　　　　　　gòng

43. 我想快点儿提高汉语水平，你有什么好办（　fǎ　）吗？

44. 在这家公司工作了几年后，她（　jué　）定找一个新工作。

45. 这个地方的（　dōng　）天很舒服，一点儿也不冷。


## 第三部分　Part Ⅲ

第 46-50 题：辨认汉字，选择正确的汉字填空
Questions 46-50: Distinguish the characters and fill in the blanks.

例如：我不知道＿＿那＿＿个地方在＿＿哪＿＿儿。（那、哪）

46. 根＿＿＿＿邻＿＿＿＿说的话，大家很快就找到了那个孩子。（居、据）

47. 你刚吃＿＿＿＿，最好不要马上＿＿＿＿步，对身体不好。（饱、跑）

48. 天黑，路不好走，我有点儿担＿＿＿＿女儿，所以＿＿＿＿须出去看看。（必、心）

49. 你不是口＿＿＿＿了吗？我带了冰茶，给你＿＿＿＿点儿。（喝、渴）

50. 如果要＿＿＿＿车，一定要＿＿＿＿择一家服务好的店，不能只想着便宜。（选、洗）


## 第四部分　Part Ⅳ

第 51-54 题：用下边的汉字组词
Questions 51-54: Make words using the following characters.

例如：找＿找人＿、＿找到＿

51. 园＿＿＿＿、＿＿＿＿　　53. 问＿＿＿＿、＿＿＿＿

52. 病＿＿＿＿、＿＿＿＿　　54. 闻＿＿＿＿、＿＿＿＿

# 四、复习 Review

第 1–2 题：根据课文内容填空
Questions 1-2: Fill in the blanks based on the texts in the textbook.

1. 小丽的同事很想认识那个高高的男人，就问小丽对他是不是＿＿＿＿＿＿。小丽告诉同事他们过去是＿＿＿＿＿＿，后来是大学同学，那个男人有很多＿＿＿＿＿＿，＿＿＿＿＿＿都会。但是小丽不能把他介绍给同事，因为他现在是小丽的＿＿＿＿＿＿。

2. 周太太最近觉得哪儿都不舒服，想去医院＿＿＿＿＿＿。周经理觉得＿＿＿＿＿＿有办法看好她的"病"，因为太太三年没运动了，每天吃＿＿＿＿＿＿了就睡。＿＿＿＿＿＿健康，周太太决定从明天起每天去长跑，＿＿＿＿＿＿。

# 18

Wǒ xiāngxìn tāmen huì tóngyì de

# 我相信他们会同意的

**I believe they'll agree**

## 一、听力　Listening　 *18*

### 第一部分　Part Ⅰ

第1-5题：听对话，选择与对话内容一致的图片

Questions 1-5: Choose the right picture for each dialogue you hear.

A

B

C

D

E

F

例如：男：喂，请问张经理在吗？

　　　女：他正在开会，您半个小时以后再打，好吗？　　　D

1. 　　　　　　　　　　　　　　　　　　　　　　　□

2. 　　　　　　　　　　　　　　　　　　　　　　　□

3. 　　　　　　　　　　　　　　　　　　　　　　　□

4. 　　　　　　　　　　　　　　　　　　　　　　　□

5. 　　　　　　　　　　　　　　　　　　　　　　　□

## 第二部分　Part Ⅱ

第 6-10 题：听句子，判断对错

Questions 6-10: Decide whether the statements are true or false based on the sentences you hear.

例如：为了让自己更健康，他每天都花一个小时去锻炼身体。

　　　★ 他希望自己很健康。　　　　　　　　　　　　　　　　（ √ ）

　　　今天我想早点儿回家。看了看手表，才 5 点。过了一会儿再看表，还是 5 点，我这才发现我的手表不走了。

　　　★ 那块儿手表不是他的。　　　　　　　　　　　　　　　（ × ）

6.　★ 聪明人知道机会不常有。　　　　　　　　　　　　　　（　　）

7.　★ 小云要去体育馆。　　　　　　　　　　　　　　　　　（　　）

8.　★ 关于中国的春节，他比较了解。　　　　　　　　　　　（　　）

9.　★ 他认为那个宾馆不错。　　　　　　　　　　　　　　　（　　）

10.　★ 他的汉语水平很高。　　　　　　　　　　　　　　　　（　　）

## 第三部分　Part Ⅲ

第 11-15 题：听短对话，选择正确答案

Questions 11-15: Listen to the short dialogues and choose the right answers.

例如：男：小王，帮我开一下门，好吗？谢谢！

　　　女：没问题。您去超市了？买了这么多东西。

　　　问：男的想让小王做什么？

　　　　　A　开门√　　　　　B　拿东西　　　　　C　去超市买东西

11.　A　司机　　　　　　　B　老师　　　　　　　C　医生

12.　A　不爱看电视　　　　B　常去动物园　　　　C　在准备比赛

13.　A　帮她找手机　　　　B　找她有事情　　　　C　跟女的见面

14.　A　经常骑自行车　　　B　上班不能骑车　　　C　不会骑自行车

15.　A　身体不好　　　　　B　吃得很饱　　　　　C　吃得很少

## 第四部分　Part Ⅳ

第 16-20 题：听长对话，选择正确答案

Questions 16-20: Listen to the dialogues and choose the right answers.

例如：女：晚饭做好了，准备吃饭了。

男：等一会儿，比赛还有三分钟就结束了。

女：快点儿吧，一起吃，菜冷了就不好吃了。

男：你先吃，我马上就看完了。

问：男的在做什么？

|  | A 洗澡 | B 吃饭 | C 看电视 √ |
|---|---|---|---|
| 16. | A 喜欢照相 | B 长得很矮 | C 长得很高 |
| 17. | A 她是外地人 | B 买票的人多 | C 开门比较晚 |
| 18. | A 去体育馆 | B 洗澡 | C 洗车 |
| 19. | A 羊肉 | B 牛肉 | C 鱼 |
| 20. | A 去学习了 | B 生病了 | C 工作不认真 |

## 二、阅读　Reading

### 第一部分　Part I

第 21–25 题：选择合适的问答

Questions 21-25: Match the two parts of the same dialogue.

A　你怎么一直看着我，怎么了？

B　请慢走，欢迎您下次再来我们这儿玩儿。

C　我也觉得很奇怪，她过去不是这样的。

D　楼下这只小狗是谁家的？

E　当然。我们先坐公共汽车，然后换地铁。

F　中国人的人名一般都没那么简单。

例如：你知道怎么去那儿吗？　　　　　　　　　　　（　E　）

21.　我同意，根据我的了解，这是一种文化。　　　　（　　）

22.　你刚才吃什么了，嘴上有一个东西。　　　　　　（　　）

23.　真奇怪，附近人家里没有这种狗。　　　　　　　（　　）

24.　好的，有机会我一定会再来的，再见。　　　　　（　　）

25.　小丽最近经常迟到，你是她的好朋友，你知道怎么了吗？　（　　）

### 第二部分　Part II

第 26–30 题：选择合适的词语填空

Questions 26-30: Choose the proper words to fill in the brackets.

　　　　A 相信　　B 地　　C 只要　　D 机会　　E 声音　　F 关于

例如：她说话的（　E　）多好听啊！

26.　（　　）出国学习的事，我还有几个问题。

27.　很多人都想去大城市工作，因为（　　）多一些。

28.　你别着急，慢慢（　　）说。

29.　A：明天我一定不会迟到了。

　　　B：你说什么我都不会（　　）的。

30.　A：爸爸，周末我想去公园玩儿。

　　　B：好啊，（　　）不下雨，我就带你去。

## 第三部分　Part Ⅲ

第 31–35 题：选择正确答案
Questions 31-35: Choose the right answers.

例如：您是来参加今天会议的吗？您来早了一点儿，现在才八点半。您先进来坐吧。

　　★ 会议最可能几点开始？

　　A　8点　　　　　　　　B　8点半　　　　　　　C　9点 √

31. 有人问我长得像谁，关于这个问题，我觉得很难回答。家里人一般觉得，我的鼻子和嘴像
　　我爸爸，我的眼睛像我妈妈，所以我有机会就会跟他们比一比。我发现，我的鼻子、嘴和
　　眼睛不但像我爸爸，而且也像我妈妈，但是比他们的都好看。你看，我是不是很自信？

　　★ 我觉得谁好看？

　　A　爸爸　　　　　　　　B　妈妈　　　　　　　　C　自己

32. 以前我是一家旅游公司的经理，有机会去很多国家。我去很多城市旅游过，吃过很多
　　有名的菜，但是如果你问我"世界上最好的地方是哪儿？最好吃的是哪种菜？"，我
　　相信我一定会回答："最好的地方是我的家，最好吃的是妈妈为我做的菜。"

　　★ 我：

　　A　是旅游公司的经理　　B　很喜欢做菜　　　　C　去过很多城市

33. 你刚到我们这儿可能会觉得很奇怪，我们这儿的冬天很冷，夏天很热，春天的天气很
　　好，不冷不热，但是这段时间不长，冬天过完很快就到夏天了。所以你不用买那么多
　　春天穿的衣服，相信你住的时间长了，就会慢慢地习惯的。

　　★ 我们这里：

　　A　天气很奇怪　　　　　B　春天不长　　　　　C　四季都不冷

34. 今天我买了很多铅笔，这些铅笔都是为我儿子买的，这段时间他在学画画儿，他最爱
　　画小动物，小狗、小猫、小鱼什么的，然后给这些小动物画上不一样的颜色。我相
　　信，只要他认真学习画画儿，以后一定会是一个有名的画家的。

　　★ 我儿子：

　　A　是一个画家　　　　　B　喜欢画小动物　　　C　买了很多铅笔

35. 奶奶以前是他们学校里有名的音乐老师，她不但歌唱得特别好听，而且对人也非常热情，大家都很喜欢她。最近这段时间，奶奶身体不太舒服，很多人都来家里看她，有的人还是从外地来的，没来的人也都打电话向她问好。他们说，只要奶奶心里高兴，病很快就会好的。

★ 关于奶奶，可以知道：

A 学生们都很喜欢她　　B 她的学生都在外地　　C 常给学生打电话

# 三、书写　Writing

## 第一部分　Part I

第 36–40 题：连词成句

Questions 36-40: Rearrange the words/phrases to make sentences.

例如：小船　　上　　一　　河　　条　　有

河上有一条小船。

36. 关于　　我想买　　一本　　动物　　的　　书

37. 我相信　　同意　　妈妈　　的　　会

38. 旅游　　有机会　　我就去　　只要　　别的国家

39. 大家　　看着我　　地　　奇怪　　都

40. 问路　　向我　　外地人　　一个

## 第二部分　Part II

第 41–45 题：看拼音，写汉字

Questions 41-45: Write the characters based on their *pinyin*.

例如：没（　关<sup></sup>　）系，别难过，高兴点儿。

41. 你要多（　　）小丽学习，你看她，做事总是很认真。

42.  这（<sup>zhī</sup>　）小猫很可爱，它叫什么名字？

43.  关于你们（<sup>guó</sup>　）家，你能简单介绍一下吗？

44.  妈妈不同意他出去玩儿，他生气（<sup>de</sup>　）回房间了。

45.  我最喜欢小狗，你最喜欢哪种（<sup>dòng</sup>　）物？


## 第三部分　Part Ⅲ

第 46–50 题：辨认汉字，选择正确的汉字填空

Questions 46-50: Distinguish the characters and fill in the blanks.

例如：我不知道 ＿那＿ 个地方在 ＿哪＿ 儿。（那、哪）

46.  关＿＿＿＿城市环境的问题，我们认为最重要的是把街道打扫＿＿＿＿净。（于、干）

47.  这＿＿＿＿个人中，你是最聪明的，所以你有＿＿＿＿会来我们公司工作。（机、几）

48.  小丽＿＿＿＿小刚要去看朋友，但是他们不知道买哪＿＿＿＿水果好。（种、和）

49.  请你相信，这件事我不但＿＿＿＿己就能做，而＿＿＿＿能做得很好。（且、自）

50.  这个地＿＿＿＿的房子太贵了，那么小就需要三百多＿＿＿＿。（万、方）


# 四、复习　Review

第 1–2 题：根据课文内容填空

Questions 1-2: Fill in the blanks based on the texts in the textbook.

1.  小明看见一＿＿＿＿＿＿＿可爱的小狗，眼睛大大的，＿＿＿＿＿＿＿小小的，想买回去。妈妈不同意，因为她觉得＿＿＿＿＿＿＿需要人照顾，但是这＿＿＿＿＿＿＿时间小明自己的衣服都不洗，是不会照顾小狗的。小明说，＿＿＿＿＿＿＿妈妈给他买，他就能照顾好小狗。

2.  一个学生去公司找工作，他认为这家公司不但很＿＿＿＿＿＿＿，＿＿＿＿＿＿＿工作环境好。但是经理告诉他，这个工作有点儿累，需要经常去外地，不知道他的家人能不能＿＿＿＿＿＿＿。他觉得没问题，只要他愿意，他＿＿＿＿＿＿＿家人会同意的。经理告诉他明天来上班，他很高兴有这个工作＿＿＿＿＿＿＿，他说他会努力的。

Nǐ méi kàn chulai ma

# 你没看出来吗
**Didn't you recognise him**

## 一、听力 Listening  *19*

### 第一部分 Part Ⅰ

第1–5题：听对话，选择与对话内容一致的图片

Questions 1-5: Choose the right picture for each dialogue you hear.

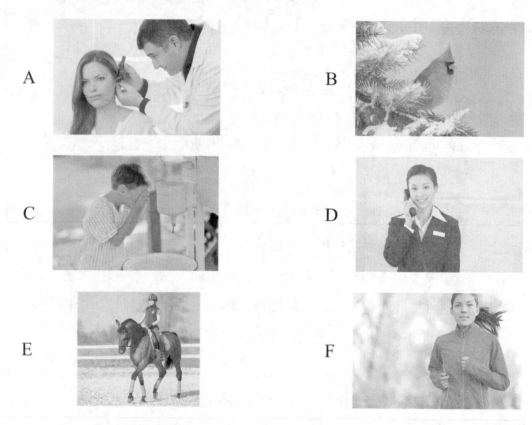

A

B

C

D

E

F

例如：男：喂，请问张经理在吗？

　　　女：他正在开会，您半个小时以后再打，好吗？　　　D

1.

2.

3.

4.

5.

## 第二部分　Part Ⅱ

第 6-10 题：听句子，判断对错

Questions 6-10: Decide whether the statements are true or false based on the sentences you hear.

例如：为了让自己更健康，他每天都花一个小时去锻炼身体。

　　　★ 他希望自己很健康。　　　　　　　　　　　　（　√　）

　　　今天我想早点儿回家。看了看手表，才 5 点。过了一会儿再看表，还是 5 点，我这才发现我的手表不走了。

　　　★ 那块儿手表不是他的。　　　　　　　　　　　（　×　）

6.　★ 他每天上下班都很快乐。　　　　　　　　　　（　　）

7.　★ 小雨哭是因为耳朵有问题了。　　　　　　　　（　　）

8.　★ 他以前住在黄河附近。　　　　　　　　　　　（　　）

9.　★ 他终于找到那本书了。　　　　　　　　　　　（　　）

10.　★ 现在她是长头发。　　　　　　　　　　　　　（　　）

## 第三部分　Part Ⅲ

第 11-15 题：听短对话，选择正确答案

Questions 11-15: Listen to the short dialogues and choose the right answers.

例如：男：小王，帮我开一下门，好吗？谢谢！

　　　女：没问题。您去超市了？买了这么多东西。

　　　问：男的想让小王做什么？

　　　　　A 开门 √　　　　　B 拿东西　　　　　C 去超市买东西

11.　A 他不高兴了　　　　B 眼睛里有东西　　　C 不喜欢刮风

12.　A 她骑得不快　　　　B 她不太小心　　　　C 她会骑马

13.　A 睡觉　　　　　　　B 吃糖　　　　　　　C 起床

14.　A 坐船　　　　　　　B 坐公共汽车　　　　C 打车

15.　A 他喜欢做面条　　　B 女的过生日　　　　C 面条很好吃

## 第四部分　Part Ⅳ

第 16-20 题：听长对话，选择正确答案
Questions 16-20: Listen to the dialogues and choose the right answers.

例如：女：晚饭做好了，准备吃饭了。

男：等一会儿，比赛还有三分钟就结束了。

女：快点儿吧，一起吃，菜冷了就不好吃了。

男：你先吃，我马上就看完了。

问：男的在做什么？

|  | A 洗澡 | B 吃饭 | C 看电视 √ |
|---|---|---|---|

| 16. | A 喜欢玩儿游戏 | B 看错了一个人 | C 去开花园的灯 |
|---|---|---|---|
| 17. | A 担心男的的身体 | B 耳朵进水了 | C 游泳很小心 |
| 18. | A 白色 | B 蓝色 | C 黑色 |
| 19. | A 感冒了 | B 没洗脸 | C 要买西药 |
| 20. | A 买船票 | B 买机票 | C 回国 |

## 二、阅读　Reading

### 第一部分　Part I

第 21-25 题：选择合适的问答

Questions 21-25: Match the two parts of the same dialogue.

A　什么事让我们的女儿这么高兴?

B　慢点儿，我这是第一次骑马。

C　坐船或者坐火车都可以，你想怎么去?

D　经过高中三年的认真学习，弟弟终于考上了大学。

E　当然。我们先坐公共汽车，然后换地铁。

F　这是你做的饭吗? 看起来真好吃。

例如：你知道怎么去那儿吗? 　　　　　　　　( E )

21. 坐船去吧，我还没坐过呢。 　　　　　　　( 　 )

22. 别害怕，它很听话，你把脚放好，眼睛看着前面。 ( 　 )

23. 来，我们一起吃吧。 　　　　　　　　　　( 　 )

24. 太好了，我真为他高兴。 　　　　　　　　( 　 )

25. 她穿了条蓝色的裙子跟同学跳舞，同学说她漂亮极了。( 　 )

### 第二部分　Part II

第 26-30 题：选择合适的词语填空

Questions 26-30: Choose the proper words to fill in the brackets.

A 耳朵　　B 经过　　C 短　　D 过　　E 声音　　F 哭

例如：她说话的 ( E ) 多好听啊!

26. 你看，这是我上次坐火车 ( 　 ) 黄河时的照片。

27. 小冬又 ( 　 ) 了，你有什么办法吗?

28. 一会你去洗脸的时候，别忘了也把 ( 　 ) 洗一下。

29. A：这件运动服有点儿 ( 　 )，你给我拿一件长的吧。

　　B：行，我现在去给你拿。

30. A：这个周末你打算怎么 ( 　 )?

　　B：邻居请我们去他家玩儿游戏。

## 第三部分　Part Ⅲ

第 31-35 题：选择正确答案
Questions 31-35: Choose the right answers.

例如：您是来参加今天会议的吗？您来早了一点儿，现在才八点半。您先进来坐吧。

　　★ 会议最可能几点开始？

　　A　8点　　　　　　　B　8点半　　　　　　C　9点 √

31. 我小时候住在中国最南边，一直没见过雪。前年我搬到北京了。虽然这儿的冬天很冷，我还不太习惯，但是我终于见到雪了，雪花白白的，特别漂亮。我高兴得站在雪地里照了很多照片，我想洗出来几张照片，发给我南方的朋友们看，让他们也高兴高兴。

　　★ 我：

　　A　以前没见过雪　　　B　喜欢很冷的天气　　　C　洗了下雪的照片

32. 年轻人刚开始工作的时候，没有车也没有房，但是不用着急，虽然现在有的东西不多，但只要努力工作，这些东西早晚都会有的，人们常说的"面包会有的，牛奶也会有的"就是这个意思。

　　★ 这段话告诉我们：

　　A　要努力工作　　　B　不用着急买车　　　C　不能有很多东西

33. 这次旅游，我们去了不少地方，每个地方都让我非常难忘。有的城市有地铁，有的城市有火车，有的城市可以骑自行车，有的城市还可以骑马。有的城市更有意思，"街道"就是河，船就是"公共汽车"，你能说出来这个城市在哪儿吗？

　　★ 根据这段话，可以知道：

　　A　我想不起来城市的名字　　B　我常常坐地铁去旅行　　C　有的城市出门要坐船

34. 我想买辆十万左右的车，有了车以后，会更方便的。开车上下班，路上经过孩子的学校，可以接送他上下学。一个星期的工作学习以后，我们都很累，到了周末，可以开车出去玩儿玩儿，蓝蓝的天，白白的云，绿绿的草地，会让我们觉得舒服多了。

　　★ 他为什么要买车？

　　A　车很便宜　　　　　B　会很方便　　　　　C　坐着舒服

35. 去年秋天我回南方老家了，那里有高大的树，还有很多我叫不出来名字的花花草草，漂亮极了。每年快到冬天的时候，北方很多鸟都会飞到这儿来，在这儿过冬，等到第二年春天再飞回去。孩子们都很喜欢这些可爱的鸟，不愿意让它们离开。

★ 根据这段话，可以知道：

A 我的老家在中国北方　B 老家冬天有很多鸟　　C 孩子不想离开老家

# 三、书写　Writing

## 第一部分　Part Ⅰ

第 36–40 题：连词成句

Questions 36-40: Rearrange the words/phrases to make sentences.

例如：小船　　上　　一　　河　　条　　有

河上有一条小船。

36. 停　　慢慢　　下来了　　地　　船

37. 是在哪儿　　我想不起来　　这张照片　　照的　　了

38. 看出来　　你能　　他们的脸　　不一样　　吗　　有什么

39. 安静下来　　鸟的叫声　　能让　　她

40. 让你的脸　　很白　　看上去　　这件衣服

## 第二部分　Part Ⅱ

第 41–45 题：看拼音，写汉字

Questions 41-45: Write the characters based on their *pinyin*.

例如：没（ 关 guān ）系，别难过，高兴点儿。

41. 骑（　mǎ　）让我觉得很快乐。

42. 看上去这（　wèi　）先生很喜欢小孩子。

43. 你想起来了吗？前年你是在哪儿（ guò ）的春节？

44. 秋天以后，天会变得越来越（ duǎn ），很早就会黑下来。

45. （ jīng ）过超市的时候，你帮我买一瓶可乐。

## 第三部分　Part Ⅲ

第 46-50 题：辨认汉字，选择正确的汉字填空
Questions 46-50: Distinguish the characters and fill in the blanks.

例如：我不知道　那　个地方在　哪　儿。（那、哪）

46. 天气真好，天是 ＿＿＿ 色的，我们出去打 ＿＿＿ 球吧。（蓝、篮）

47. 刚才我去超市买 ＿＿＿ 蛋了，回来的路上看见了一只很奇怪的 ＿＿＿。（鸟、鸡）

48. 姐，你怎么又 ＿＿＿ 了，我看你刚才还 ＿＿＿ 得很高兴啊。（哭、笑）

49. 我 ＿＿＿ 己去医院就行，没什么大的问题，就是 ＿＿＿ 朵有点儿不舒服。（自、耳）

50. 我又长高了，你看我的衣服就 ＿＿＿ 道了，都 ＿＿＿ 了。（短、知）

# 四、复习　Review

第 1-2 题：根据课文内容填空
Questions 1-2: Fill in the blanks based on the texts in the textbook.

1. 最近女儿跟以前不一样了，她喜欢把头发放在 ＿＿＿ 后面，使她的 ＿＿＿ 看 ＿＿＿ 漂亮一些。爸爸想 ＿＿＿ 她小时候喜欢 ＿＿＿ 头发，像男孩子一样。

2. 小丽洗 ＿＿＿ 几 ＿＿＿ 骑马比赛的照片，但同事没看 ＿＿＿ 那 骑得最快的是小刚。因为运动服让小刚看上去很年轻，小刚今天穿的 ＿＿＿ 西服让他看上去像 40 岁。

Wǒ bèi tā yǐngxiǎng le

# 我被他影响了

## I've been influenced by him

一、听力　Listening  20

### 第一部分　Part I

第 1–5 题：听对话，选择与对话内容一致的图片

Questions 1-5: Choose the right picture for each dialogue you hear.

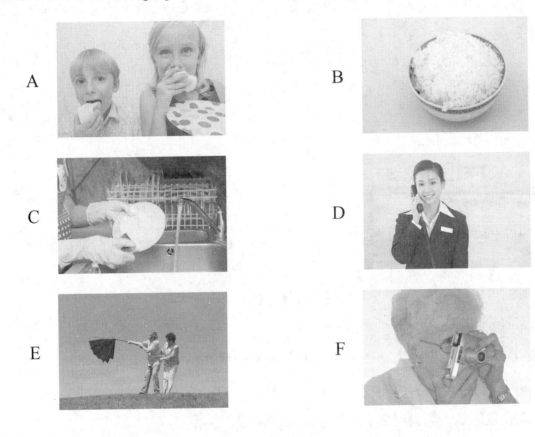

A

B

C

D

E

F

例如：男：喂，请问张经理在吗？

女：他正在开会，您半个小时以后再打，好吗？　　D

1. 　　☐

2. 　　☐

3. 　　☐

4. 　　☐

5. 　　☐

## 第二部分　Part II

第 6–10 题：听句子，判断对错

Questions 6-10: Decide whether the statements are true or false based on the sentences you hear.

例如：为了让自己更健康，他每天都花一个小时去锻炼身体。

　　★ 他希望自己很健康。　　　　　　　　　　（　√　）

今天我想早点儿回家。看了看手表，才 5 点。过了一会儿再看表，还是 5 点，我这才发现我的手表不走了。

　　★ 那块儿手表不是他的。　　　　　　　　　（　×　）

6.　★ 他没带照相机。　　　　　　　　　　　（　　）

7.　★ 那家店不能用信用卡。　　　　　　　　（　　）

8.　★ 不高兴时做什么都不好。　　　　　　　（　　）

9.　★ 爱有很多种。　　　　　　　　　　　　（　　）

10.　★ 问题已经被他们解决了。　　　　　　　（　　）

## 第三部分　Part III

第 11–15 题：听短对话，选择正确答案

Questions 11-15: Listen to the short dialogues and choose the right answers.

例如：男：小王，帮我开一下门，好吗？谢谢！

　　　女：没问题。您去超市了？买了这么多东西。

　　　问：男的想让小王做什么？

　　　　　A 开门 √　　　　　B 拿东西　　　　　C 去超市买东西

11.　A 今天过生日　　　B 买了本字典　　　C 正在学汉语

12.　A 往东走　　　　　B 往南走　　　　　C 往车站那边走

13.　A 帽子　　　　　　B 书　　　　　　　C 地图

14.　A 在找运动服　　　B 准备去跑步　　　C 穿好了运动服

15.　A 去找服务员　　　B 去拿房卡　　　　C 回房间去

## 第四部分　Part IV

第 16–20 题：听长对话，选择正确答案

Questions 16-20: Listen to the dialogues and choose the right answers.

例如：女：晚饭做好了，准备吃饭了。

男：等一会儿，比赛还有三分钟就结束了。

女：快点儿吧，一起吃，菜冷了就不好吃了。

男：你先吃，我马上就看完了。

问：男的在做什么？

      A　洗澡　　　　　B　吃饭　　　　　C　看电视 √

16.　A　去银行还钱　　　B　去教室上课　　　C　去借照相机

17.　A　找不到照相机　　B　忘了去教室　　　C　男的不帮她找

18.　A　客人已经离开了　B　客人对房间很满意　C　客人可以换个房间

19.　A　不能再跳舞了　　B　脚就快好了　　　C　坐电梯不小心

20.　A　饭馆　　　　　　B　商店　　　　　　C　动物园

# 二、阅读 Reading

## 第一部分 Part I

第 21–25 题：选择合适的问答

Questions 21-25: Match the two parts of the same dialogue.

A 真为你高兴！希望你以后能有更好的成绩。

B 在中国，北方的冬天非常冷，特别是东北。

C 只有想办法让客人满意，才能解决这个问题。

D 先生，等等，您把照相机忘在车上了。

E 当然。我们先坐公共汽车，然后换地铁。

F 我的照相机被弟弟借走了。

例如：你知道怎么去那儿吗？ （ E ）

21. 谢谢老师！我一定会努力的。 （ ）

22. 你的照相机借给我用几天吧？ （ ）

23. 刚才太着急了，真是谢谢你。 （ ）

24. 我们的客人越来越少，这真是一个问题啊。 （ ）

25. 去年冬天我刚到那儿就感冒了。 （ ）

## 第二部分 Part II

第 26–30 题：选择合适的词语填空

Questions 26-30: Choose the proper words to fill in the brackets.

A 试　　B 碗　　C 只有　　D 信用卡　　E 声音　　F 房卡

例如：她说话的（ E ）多好听啊！

26. 我不知道把（　　）忘在哪儿了，现在只能叫服务员帮我开门了。

27. （　　）被我妹妹拿走了。

28. 请一个同学来听写生词，谁来（　　）一下？

29. A：今天晚上谁洗（　　）？

　　B：昨天是我，今天应该是你了。

30. A：我的历史老师让我回家多复习。

　　B：对啊，（　　）多复习才能提高成绩。

## 第三部分　Part Ⅲ

第 31−35 题：选择正确答案
Questions 31-35: Choose the right answers.

例如：您是来参加今天会议的吗？您来早了一点儿，现在才八点半。您先进来坐吧。

　　★ 会议最可能几点开始？

　　A　8点　　　　　　　　B　8点半　　　　　　　C　9点 ✓

31. 去年我跟同事一起去南方的一个城市旅行，有一次我和同事找人问路，他们总是回答
　　"向左走"或者"向右走"。我们才发现那里的人不习惯说"东南西北"，只说"左"
　　或者"右"，只有在看地图的时候，才会说"东南西北"。

　　★ 那个城市的人，什么时候说"东南西北"？

　　A　问路的时候　　　　　B　看地图的时候　　　　C　去旅行的时候

32. "笑一笑，十年少"，这是中国人常说的一句话，意思是笑的作用很大，笑一笑会让人
　　年轻很多。只有常常笑，才能使自己年轻，不容易变老。所以我们每天都应该在工作
　　和学习中，多想想高兴的事，试着让自己更快乐。

　　★ 根据这段话，可以知道：

　　A　现在的人不快乐　　　B　笑能使人变年轻　　　C　工作中没有高兴事

33. 不要总觉得别人的事情跟自己没有关系，认真地做好自己的事情就可以了。关心别
　　人，自己也会觉得很快乐。所以要多跟朋友在一起，帮助朋友就是帮助自己，只有经
　　常帮助别人，当你需要帮助的时候，别人才会愿意帮助你。

　　★ 根据这段话，可以知道：

　　A　自己的事最重要　　　B　要学会帮助别人　　　C　多让朋友帮自己

34. 小米给我们写信了，她在信里说了很多谢谢我们的话，说我们不但很关心她，而且还
　　帮她女儿解决了工作的问题。在信里，她还说跟我们在一起的那段时间是多么让人难
　　忘啊。她说如果明年有机会，她还会回来看我们的。

　　★ 根据这段话，可以知道：

　　A　小米的工作问题被解决了　　B　小米明年一定回来看我们　　C　小米写信谢谢我们

35. 你知道吗，动物虽然不会说话，但是其实很聪明。你看我家的小猫，总是能看出来我是高兴还是难过。我高兴的时候，它会在我身边跟我玩儿，高兴地叫着。要是它觉得我难过，它就会很安静地看着我。最让我觉得奇怪的是，它一般不会生气，但是只要我去动物园玩儿，它就会变得非常不高兴。

★ 我家的小猫：

A 非常聪明　　　　　　B 经常不高兴　　　　　　C 喜欢去动物园

# 三、书写　Writing

## 第一部分　Part I

第 36–40 题：连词成句

Questions 36-40: Rearrange the words/phrases to make sentences.

例如：小船　　上　　一　　河　　条　　有

　　　　河上有一条小船。

36. 冬天的时候　　看看　　我决定　　去东北

37. 洗干净了　　被　　都　　妈妈　　碗筷

38. 对中文　　只有　　你才能　　感兴趣　　学好

39. 帮你解决　　试着　　我　　电脑的问题

40. 小皮鞋　　多么可爱啊　　你看　　这双

## 第二部分　Part II

第 41–45 题：看拼音，写汉字

Questions 41-45: Write the characters based on their *pinyin*.

　　　　　guān
例如：没（ 关 ）系，别难过，高兴点儿。

　　　　　guò
41. 别难（　　）了，下次你一定能考好的。

42. 谢谢你的（　　guān　　）心，我现在很好。

43. 这次考试，我的数学（　　chéng　　）绩最好。

44. 妈妈说只有写完作业，（　　cái　　）能玩儿游戏。

45. 你是什么时候有信用（　　kǎ　　）的?


## 第三部分　Part Ⅲ

第46-50题：辨认汉字，选择正确的汉字填空

Questions 46-50: Distinguish the characters and fill in the blanks.

例如：我不知道＿＿那＿＿个地方在＿＿哪＿＿儿。（那、哪）

46. 你可以去＿＿＿＿门坐公共汽＿＿＿＿。（东、车）

47. 这件事怎么解＿＿＿＿，你＿＿＿＿帮我想想办法吧。（决、快）

48. ＿＿＿＿园里的花多＿＿＿＿漂亮啊！（么、公）

49. 你别＿＿＿＿过了，下次我帮你＿＿＿＿备，一定会没问题的。（难、准）

50. 这个电＿＿＿＿节目很有意思，我很想看，但是电视怎么＿＿＿＿爸爸关上了？（被、视）


# 四、复习　Review

第1-2题：根据课文内容填空

Questions 1-2: Fill in the blanks based on the texts in the textbook.

1. 小丽找不到她的＿＿＿＿＿了，可能＿＿＿＿＿别人拿走了。她有点儿＿＿＿＿＿。
   同事让她去公司＿＿＿＿＿门外的大商场再买一个，但是这个月她的＿＿＿＿＿里的
   钱已经花得差不多了。

2. 小明的朋友最近突然＿＿＿＿＿起体育来了，因为她的男朋友很喜欢看足球＿＿＿＿＿，
   她是＿＿＿＿＿男朋友影响的。＿＿＿＿＿足球，她还天天上网玩儿游戏，
   差极了。

# HSK（三级）模拟试卷
# HSK Model Test (Level 3)

## 注　意

一、HSK（三级）分三部分：

    1. 听力（40题，约35分钟）

    2. 阅读（30题，30分钟）

    3. 书写（10题，15分钟）

二、听力结束后，有5分钟填写答题卡。

三、全部考试约90分钟（含考生填写个人信息时间5分钟）。

# 一、听 力

## 第一部分

第 1-5 题

例如：男：喂，请问张经理在吗？

女：他正在开会，您半个小时以后再打，好吗？ ☐ D

1. ☐

2. ☐

3. ☐

4. ☐

5. ☐

第 6-10 题:

A

B

C

D

E

6. ☐

7. ☐

8. ☐

9. ☐

10. ☐

## 第二部分

第 11-20 题

例如：为了让自己更健康，他每天都花一个小时去锻炼身体。

    ★ 他希望自己很健康。　　　　　　　　　　　　( √ )

今天我想早点儿回家。看了看手表，才 5 点。过了一会儿再看表，还是 5 点，我这才发现我的手表不走了。

    ★ 那块儿手表不是他的。　　　　　　　　　　　( × )


11.    ★ 现在他还不知道什么是最重要的。　　　　　( 　　 )

12.    ★ 大家都喜欢常医生。　　　　　　　　　　　( 　　 )

13.    ★ 上下班时间他不愿意坐地铁。　　　　　　　( 　　 )

14.    ★ 哥哥让我认真读书。　　　　　　　　　　　( 　　 )

15.    ★ 他和这些同学已经很长时间没见面了。　　　( 　　 )

16.    ★ 我们住在一层。　　　　　　　　　　　　　( 　　 )

17.    ★ 小黄这几天哪天来都行。　　　　　　　　　( 　　 )

18.    ★ 我让小丽去北方旅行。　　　　　　　　　　( 　　 )

19.    ★ 老师让我想一想，明天回答问题。　　　　　( 　　 )

20.    ★ 去小刚家要先坐公共汽车，然后坐地铁。　　( 　　 )

## 第三部分

第 21–30 题

例如：男：小王，帮我开一下门，好吗？谢谢！

　　　女：没问题。您去超市了？买了这么多东西。

　　　问：男的想让小王做什么？

　　　　　　A　开门 √　　　　　　B　拿东西　　　　　　C　去超市买东西

21.　A　不在楼上　　　　　B　在接电话　　　　　C　在运动

22.　A　特别喜欢雪　　　　B　不喜欢下大雪　　　C　不想出去

23.　A　香蕉牛奶　　　　　B　牛奶咖啡　　　　　C　黑咖啡

24.　A　脸色不好　　　　　B　很胖　　　　　　　C　经常运动

25.　A　她儿子没得第一　　B　她很高兴　　　　　C　她不太高兴

26.　A　发电子邮件　　　　B　上网看邮件　　　　C　回电子邮件

27.　A　他不想生气　　　　B　他总是迟到　　　　C　经理知道他为什么迟到

28.　A　太晚了　　　　　　B　不在家　　　　　　C　在洗澡

29.　A　找护照　　　　　　B　坐飞机　　　　　　C　打电话

30.　A　考试没考好　　　　B　学习不努力　　　　C　不想学习了

# 第四部分

第 31-40 题

例如：女：晚饭做好了，准备吃饭了。

男：等一会儿，比赛还有三分钟就结束了。

女：快点儿吧，一起吃，菜冷了就不好吃了。

男：你先吃，我马上就看完了。

问：男的在做什么？

A 洗澡     B 吃饭     C 看电视 ✓

31.   A 上楼     B 下楼     C 去蛋糕店

32.   A 一点儿也不累    B 站着睡着了    C 觉得很累

33.   A 床     B 冰箱     C 书

34.   A 七点的     B 八点半的     C 几点的都可以

35.   A 又胖又高     B 穿着白裤子     C 穿着绿裙子

36.   A 早点儿起床     B 到公司吃饭     C 每天都迟到

37.   A 很担心男的     B 去医院检查了     C 吃了感冒药

38.   A 妈妈     B 姐姐     C 奶奶

39.   A 打篮球     B 找照相机     C 找同屋

40.   A 做菜特别好吃     B 现在不会做菜     C 对做菜感兴趣

148

# 二、阅　读

## 第一部分

第 41–45 题

A　周末我们去哪儿？去公园还是去听音乐会？

B　这家店的冷饮和热饮都很不错，你想喝点儿什么？

C　常老师，欢迎您来我们学校工作。

D　别着急，我帮你一起找。你是不是放在包里了？

E　当然。我们先坐公共汽车，然后换地铁。

F　其实我一直都对爬山感兴趣，只是工作太忙，没时间去。


例如：你知道怎么去那儿吗？　　　　　　　　　（　E　）


41.　你最近很喜欢爬山啊？　　　　　　　　　　（　　）

42.　我记得把地图放在行李箱里了，怎么找不到了？　　（　　）

43.　我来一杯热茶吧，冬天喝点儿热的舒服。　　　（　　）

44.　周校长，谢谢您给我这个机会，我一定努力教课。　（　　）

45.　我更愿意在家休息，上上网，玩儿玩儿电脑游戏。　（　　）

第 46–50 题

A 怎么那么多人愿意搬到城市里来？

B 那个笑得甜甜的女孩儿是谁？

C 我洗好的菜呢？刚才还放在这儿呢。

D 听说你昨天去看电影了，有意思吗？

E 外边的天气多好啊，我们出去玩儿吧。

46. 我把它放回冰箱里去了，你现在要用吗？ （    ）

47. 这里的工作机会多得多。 （    ）

48. 我觉得还可以，是一个关于黄河的故事。 （    ）

49. 那是我邻居的女儿，来，我给你介绍一下吧。 （    ）

50. 一会儿再去吧，妈妈说只有写完作业，才能出去玩儿。 （    ）

第二部分

第 51–55 题

A 几乎　　B 中间　　C 满意　　D 清楚　　E 声音　　F 回答

例如：她说话的（　E　）多好听啊！

51. 我们班小明总是第一个（　　）老师的问题。

52. 妹妹画的熊猫（　　）跟真的一样。

53. 看，站在（　　）的是这次比赛的第一，大山。

54. 来吃饭的客人对这家饭馆的服务都特别（　　）。

55. 虽然我们离得很远，但是他声音很大，所以听得（　　）。

第 56-60 题

A 结束　　　B 新闻　　　C 刷牙　　　D 爱好　　　E 出来　　　F 水平

例如：A：你有什么（　D　）？

　　　B：我喜欢体育。

56. A：照片洗（　　　）了吗？给我看看。

　　　B：下午去拿，回来给你看。

57. A：你每天早上都看报纸吗？

　　　B：是的，我习惯早上看看（　　　）。

58. A：会议（　　　）以后，别忘了把灯关了。

　　　B：放心吧，我会关的。

59. A：最近你的汉语（　　　）提高了不少。

　　　B：是吗，太好了，老师也说我的汉语越来越好了。

60. A：你怎么准备睡觉了？你（　　　）了吗？

　　　B：我忘了，我现在就去。

## 第三部分

第 61-70 题

例如：您是来参加今天会议的吗？您来早了一点儿，现在才八点半。您先进来坐吧。

★ 会议最可能几点开始？

A 8点　　　　　　　B 8点半　　　　　　　C 9点 √

61. 很多人喜欢边开车边做别的事：开着车喝咖啡，开着车打电话，开着车听音乐。这样做对自己、对别人都不好，特别是晚上或者下大雨的时候，看不清路，更容易出事。

★ 开车的时候：

A 应该喝杯咖啡　　　B 经常下大雨　　　C 最好别听音乐

62. 我是在南方出生的，四岁的时候跟爸爸妈妈来到北方，在这儿住了二十个春夏秋冬了。现在，南方我已经记不清楚了，我对北方更了解，早就习惯了吃北方菜，说话也跟北方人一样。

★ 我：

A 在北方住了二十年了　B 在北方出生　　　C 对北方还不习惯

63. 我家住在十层，楼里有两个电梯。每天回家时我都坐到五层，然后走上去。如果你也跟我一样，住得高，工作忙，又没时间出去运动，就跟我一起爬楼吧，这也是一种不错的锻炼。

★ 我认为：

A 楼里应该有两个电梯　B 爬楼是很好的运动　　C 健康不太重要

64. 为了方便，很多人都喜欢去商店买蛋糕吃。其实，自己在家做也很简单，用鸡蛋、牛奶就可以做。如果想吃水果蛋糕，还可以买一些水果放进去。自己做的比店里的健康得多，也更好吃，更新鲜。

★ 自己做蛋糕：

A 特别难　　　　　　B 不用牛奶和鸡蛋　　C 比商店卖的健康

65. 我家的街对面有一个图书城。最近那里正在举办世界图书节，从6月15号到7月15号，买100送20。如果买了100元的书，就送20元书票，可以在图书城买书，也可以在一层的咖啡店买饮料。

★ 世界图书节时，在这个图书城买100块钱的书：

A 不用付钱　　　　　B 送一杯咖啡　　　　　C 送书票

66. 我昨天不是告诉你，早上起来不要马上吃香蕉吗？怎么又吃了？吃东西一定要选择"对"的时间，就像香蕉，不能想什么时候吃就什么时候吃，最好饭后吃，很饿的时候不要吃，对身体不好。

★ 什么时候吃香蕉最好？

A 吃完饭以后　　　　B 很饿的时候　　　　C 想吃的时候

67. 昨天我坐出租车的时候，司机说有一个人喝酒喝多了，上车以后，除了一句"我要回家"，什么都没说，就睡着了。司机想："我知道你家在哪儿啊？"所以他休息了一会儿，然后对那个人说："到家了！"那个人真的下车了。

★ 那个人在哪儿下的车？

A 他家附近　　　　　B 车站附近　　　　　C 上车的地方

68. 周末跟女朋友上街买东西，走了一个小时，我看她很累，就帮她拿包。经过一个商店的时候，我遇见了以前的老同学，就跟他一边聊天一边往前走。突然我想起来女朋友还在商店里，就马上回去看，她说她等了我半天了，什么都没买，因为刚才要买东西的时候才发现，她的钱包在我这儿。

★ 根据这段话，可以知道：

A 女朋友是我的老同学　B 女朋友在商店里等我　C 女朋友买了很多东西

69. 我在中国已经留学一年了，马上要离开北京回国了，但是我现在礼物还没买好，送给妈妈和家里人的礼物很容易买，送给朋友的礼物很难买，因为只有送给他们喜欢的礼物，他们才会高兴。我不太了解他们的爱好，不知道应该买什么好。

★ 根据这段话，可以知道：

A 我马上要回北京了　　B 我了解家人的爱好　　C 朋友不喜欢礼物

70. 我爷爷已经七十多岁了，但是他还觉得自己很年轻，他身体很好，大家都叫他"健康爷爷"。他每天早上六点就起床，起了床就出去锻炼身体。我们家附近有一个公园，只要不刮风、下雨，他都要走半个小时到那儿，然后在那儿跟老朋友们聊天。

★ 我爷爷：

A 现在很年轻　　　　　B 每天去公园　　　　　C 身体很健康

# 三、书 写

## 第一部分

第 71-75 题

例如：小船　　上　　一　　河　　条　　有

<u>河上有一条小船。</u>

71. 兴趣　　感　　画画儿　　对　　妹妹　　很

72. 饿　　我　　一点儿　　现在　　不　　也

73. 放　　一瓶　　桌子　　着　　上　　饮料

74. 安静　　哪儿　　哪儿　　就　　学习　　去　　我

75. 牛奶　　去　　进　　放　　冰箱　　把　　请

# 第二部分

第 76-80 题

例如：没（ 关<sup>guān</sup> ）系，别难过，高兴点儿。

76. 你怎么现在才回来？我和你妈妈都很（ 　　 ）心。<sup>dān</sup>

77. 为了（ 　　 ）高汉语水平，他每天跟中国朋友练习。<sup>tí</sup>

78. （ 　　 ）于考完试了，走，我们去好好玩儿玩儿！<sup>zhōng</sup>

79. 我带了两把伞，可以（ 　　 ）给你一把。<sup>jiè</sup>

80. 这儿的（ 　　 ）天没有我们国家那么热，很舒服。<sup>xià</sup>

# HSK（三级）介绍

HSK（三级）考查考生的汉语应用能力，它对应于《国际汉语能力标准》三级、《欧洲语言共同参考框架（CEF）》B1 级。通过 HSK（三级）的考生可以用完成生活、学习、工作等方面的基本交际任务，在中国旅游时，可应对遇到的大部分交际任务。

## 一、考试对象

HSK（三级）主要面向按每周 2–3 课时进度学习汉语三个学期（一个半学年），掌握 600 个最常用词语和相关语法知识的考生。

## 二、考试内容

HSK（三级）共 80 题，分听力、阅读、书写三部分。

| 考试内容 | | 试题数量（个） | | 考试时间（分钟） |
|---|---|---|---|---|
| 一、听力 | 第一部分 | 10 | 40 | 约 35 |
| | 第二部分 | 10 | | |
| | 第三部分 | 10 | | |
| | 第四部分 | 10 | | |
| 二、阅读 | 第一部分 | 10 | 30 | 30 |
| | 第二部分 | 10 | | |
| | 第三部分 | 10 | | |
| 三、书写 | 第一部分 | 5 | 10 | 15 |
| | 第二部分 | 5 | | |
| 填写答题卡 | | | | 5 |
| 共计 | / | 80 | | 约 85 |

全部考试约 90 分钟（含考生填写个人信息时间 5 分钟）。

### 1. 听力

第一部分，共 10 题。每题听两次。每题都是一个对话，试卷上提供几张图片，考生根据听到的内容选出对应的图片。

第二部分，共 10 题。每题听两次。每题都是一个人先说一小段话，另一人根据这段话说一个句子，试卷上也提供这个句子，要求考生判断对错。

第三部分，共 10 题。每题听两次。每题都是两个人的两句对话，第三个人根据对话问一个问题，试卷上提供 3 个选项，考生根据听到的内容选出答案。

第四部分，共 10 题。每题听两次。每题都是两个人的 4 到 5 句对话，第三个人根据对话问一个问题，试卷上提供 3 个选项，考生根据听到的内容选出答案。

### 2. 阅读

第一部分，共 10 题。提供 20 个句子，考生要找出对应关系。

第二部分，共 10 题。每题提供一到两个句子，句子中有一个空格，考生要从提供的选项中选词填空。

第三部分，共 10 题。提供 10 小段文字，每段文字带一个问题，考生要从 3 个选项中选出答案。

### 3. 书写

第一部分，共 5 题。每题提供几个词语，要求考生用这几个词语写一个句子。

第二部分，共 5 题。每题提供一个带空格的句子，要求考生在空格上写正确的汉字。

## 三、成绩报告

HSK（三级）成绩报告提供听力、阅读、书写和总分四个分数。总分 180 分为合格。

|  | 满分 | 你的分数 |
|---|---|---|
| 听力 | 100 | |
| 阅读 | 100 | |
| 书写 | 100 | |
| 总分 | 300 | |

HSK 成绩长期有效。作为外国留学生进入中国院校学习的汉语能力的证明，HSK 成绩有效期为两年（从考试当日算起）。

# Introduction to the HSK Level 3 Test

HSK Level 3 tests students' ability to use Chinese, corresponding to Level 3 of *Chinese Language Proficiency Scales for Speakers of Other Languages* and Level B1 of *Common European Framework of Reference for Languages (CEF)*. Candidates who have passed the HSK Level 3 test are capable of using Chinese to fulfill the basic communication activities encountered in their life, study and work and handle most of the communication tasks when they travel in China.

## Ⅰ. Targets

The HSK Level 3 test is targeted at students who have learned Chinese 2-3 class hours a week for three semesters (one and a half academic year) and have mastered 600 most frequently used Chinese words and relevant grammar.

## Ⅱ. Contents

The HSK Level 3 test includes 80 questions in total, divided into three parts—Listening, Reading, and Writing.

| Contents | | Number of Questions | | Duration (Min.) |
|---|---|---|---|---|
| Ⅰ. Listening | Part 1 | 10 | 40 | Around 35 |
| | Part 2 | 10 | | |
| | Part 3 | 10 | | |
| | Part 4 | 10 | | |
| Ⅱ. Reading | Part 1 | 10 | 30 | 30 |
| | Part 2 | 10 | | |
| | Part 3 | 10 | | |
| Ⅲ. Writing | Part 1 | 5 | 10 | 15 |
| | Part 2 | 5 | | |
| Marking on the answer sheet | | | | 5 |
| Total | / | 80 | | Around 85 |

The whole test takes about 90 minutes (including 5 minutes for students to write down personal information).

## 1. Listening

Part 1 includes 10 questions. In this part, candidates will hear 10 dialogues. Each dialogue is read twice for candidates to choose the right picture based on what they hear.

Part 2 includes 10 questions. Each question will be read twice. In this part, candidates will hear one person says a short paragraph and the other person says a sentence based on the paragraph. This sentence is also given on the test paper for candidates to determine whether the sentence is right or wrong.

Part 3 includes 10 questions. In this part, candidates will hear 10 dialogues, each with two sentences. Each dialogue is read twice for candidates to choose from three choices the right answer to the question asked by a third person.

Part 4 includes 10 questions. In this part, candidates will hear 10 dialogues, each with 4-5 sentences. Each dialogue is read twice for candidates to choose from three choices the right answer to the question asked by a third person.

## 2. Reading

Part 1 includes 10 questions. 20 sentences are provided for candidates to match them up.

Part 2 includes 10 questions. For each question, 1-2 sentences with a blank are provided. Candidates have to choose from the words given to fill in each blank.

Part 3 includes 10 questions. 10 paragraphs are provided, each with a question. For each question, candidates will select the right answer from the three choices.

## 3. Writing

Part 1 includes 5 questions. For each question, several words/phrases are provided for candidates to write a sentence with these words/phrases.

Part 2 includes 5 questions. For each question, a sentence with a blank is provided for candidates to fill in the blank with the right characters.

### Ⅲ. Performance Report

The performance report of HSK Level 3 consists of the score for Listening, the score for Reading, the score for Writing and the total score. A candidate whose total score is 180 or above passes the test.

|  | Full Score | Your Score |
|---|---|---|
| Listening | 100 |  |
| Reading | 100 |  |
| Writing | 100 |  |
| Total | 300 |  |

One's HSK score is valid all the time. As a certificate of the Chinese proficiency of an international student who wants to study in a Chinese university, the HSK score is valid for two years (starting from the day of testing).